물리학으로 바라본 세상

물리학으로 바라본 세상

발 행 | 2016년 05월 31일
저 자 | 윤금현
펴낸이 | 한건희
펴낸곳 | 주식회사 부크크
출판사등록 | 2014.07.15.(제2014-16호)
주 소 | 경기도 부천시 원미구 춘의동 202 춘의테크노파크2단지 202동 1306호
전 화 | (070) 4085-7599
이메일 | info@bookk.co.kr

ISBN | 979-11-272-0032-9

www.bookk.co.kr

물리학으로 바라본 세상

윤금현 지음

CONTENT

프롤로그

아주 옛날, 어떤 사람들은 우리의 세상을 이렇게도 상상했답니다. 엄청나게 큰 뱀 위에 거북이가 올라 타 있고, 그 위에 세 마리의 코끼리가 바다에 둘러싸인 원반 모양의 대륙을 떠받치고 있으며, 다시 그 위에 네 마리의 코끼리가 올라타 있는데, 그 위의 주변에 태양, 달 그리고 별들이 돌고 있다고 생각했습니다.

이렇게 생각한다고 해서 무슨 문제가 생기는 것은 결코 아닙니다. 어쩌면 이것이 우리가 못 보고 있는 진짜 우주의 모습일지도 모르는 일 아니겠습니까? 그러나 우주에 올라갔던 많은 사람들과 기계들뿐만 아니라 지금도 우주를 관찰하고 있는 사람들 중 어느 누구도 뱀 머리는커녕 뱀 꼬랑지도 보지 못했으니, 오로지 과학의 눈으로만 보자면, 최소한 우리가 코끼리 위에서 살고 있는 것은 아니겠지요. 그렇다고들 합니다.

아 참! 제가 이야기하려는 주제는 물리학인데, 아직 물리학이 무언지 이야기를 안 했군요. 한마디로 말해, 물리학은 자연, 더 나아가서는 우주에 대하여 생각하는 학문입니다. 아마 이 세상의 거의 모든 것들에 대하여 연구한다고 보면 될 것입니다. 대학 1 학년 교재 중 일반물리학 책을 펼치면, 거기에 물리학이 들어 있습니다. 별거 아니에요. 어려울 수도 있고 대단히 쉬울 수도 있습니다. 그러나 이 물리학이 지금 우리가 누리고 있는 문명 세상을 만들었습니다.

우리가 물리학을 더 발전시킬 수만 있다면, 미래에는 지금으로선 상상도 못하는 그런 세계가 만들어질 수도 있습니다.

- 이 세상은 어떻게 시작했을까? 그리고 어떻게 끝날까?
- 이 세상은 무엇으로 만들어져 있을까?
- 이 세상은 어떻게 움직이고 있을까? 거기에는 어떤 규칙 같은 것이 있을까?
- 이 세상은 어떻게 변화해 왔을까?

제 1 장 세상

1.1 우주

우리는 우주에서 살고 있습니다. 조금 더 정확하게 표현하자면, 우리는 우리가 살고 있는 이 세상을 우주라 부릅니다. 과거의 인간들은 우주에 대하여 막연한 상상을 하였지만, 이제는 직접 눈으로 또는 다른 기구들을 이용하여, 우리는 우주의 모습에 대하여 조금씩 알아가고 있습니다. 그러면서 사람들은 "우주는 처음도 끝도 없는 그런 것이지 않을까?" 라는 생각을 하고 있었습니다.

1.2 우주의 시작

그런데 이 생각과 전혀 다른 생각들이 물리학에 등장하기 시작했습니다. 바로 우주는 처음과 끝이 있다는 것이지요. 이 이론에 의하면, 우주는 한 점에서부터 시작했다고 합니다. 아주 작은 점! 우주는 처음에 한 점이었는데, 이 한 점이 이유는 알 수 없지만, 어쨌든 엄청난 폭발을 하였답니다. 그래서 빅(큰) 뱅(폭발) 이론이라고 합니다. 그리고 폭발과 더불어 이 한 점은 팽창하기 시작했습니다.

1.3 우주의 나이

지금으로부터 약 137 억 년 전이라고 하지요. 누구는 138 억 년 이라고도 하지만, 오십보백보 입니다. 우주를 관찰한 결과와 물리학적 추측을 더한 다음 몇 가지 계산을 하면 위의 숫자가 나오고, 우리는 이 숫자를 우주의 나이라고 부릅니다. 우주의 나이를 구하는 방법은 저자의 수준을 넘어가는 것이므로 생략합니다. 집에 고등학생이 있다면, 물어보세요. 어쩌면 그 아이는 배웠을지도 모릅니다.

처음에 빅뱅이론은 터무니없다는 반응을 얻었으나, 빅뱅의 흔적이랄 수 있는 우주 배경 복사가 발견됨으로써, 인정을 받게 되었습니다. 우주 배경 복사란, 빅뱅의 엄청난 열의 흔적이, 그러니까 아주 뜨거웠던 우주가 점점 식어서, 그 열의 흔적이 우주 전체에 복사 에너지의 형태로 남아 있다는 얘기지요. 예를 들자면 온돌이 있습니다. 밤새 뜨끈뜨끈하게 아궁이에 불을 지피면, 아침에 설령 더 이상 장작을 넣지 않아 불이 꺼질지라도, 방바닥의 구들은 천천히 식으며 열기를 내놓지 않습니까? 우주 배경 복사란 온돌처럼 우주 처음 빅뱅 때의 뜨거웠던 열기가 지금도 남아 있는 것입니다. 그리고 그 온도는 무려 [-273+2.7]인 [-270.3] 도입니다. 실제로 2.7 절대 온도 정도의 에너지를 가지는 마이크로파를 측정하였습니다. 우주 전체에서 말입니다. 이 마이크로파는 우리가 존재하고 있는 이 우주의 모든 방향에서 오고 있었습니다.

1.4 우주의 크기

그러면 우주는 과연 얼마나 커졌을까요? 아무도 정확히는 알 수 없겠지만, 대략 960 억 광년 정도라고 추측하고 있습니다. 마찬가지로 1000 억 년이 넘는다고 말하는 사람도 있습니다. 빛이 1 년 동안 가는 거리를 1 광년이라 부르는데, 빅뱅 이후 137 억 년이 흘렀다면, 우주 최초의 빛은 137 억 년 동안 달렸을 겁니다. 그렇다면 우주의 크기는 137 억 광년일까요?

아니, 그렇지 않지요. 우주 최초의 빛은 빅뱅에서 사방으로, 그러니까 360 도의 모든 방향으로 달렸겠지요? 풍선이 팽창하는 것을 상상해 보세요. 풍선은 둥글게 팽창하고, 이 풍선의 반지름이 137 억 년이라고 해 볼까요? 그러면 풍선의 둘레는 2 곱하기 파이(3.14) 곱하기 반지름(137 억)이므로 860 억 정도 됩니다. 물론 이렇게 우주의 크기를 재지는 않겠지만, 860 과 960 은 우주라는 관점에서 볼 때, 비슷한 정도로 보입니다.

1.5 우주의 변화

빅뱅 후 팽창한 우주는 지금도 계속 팽창하고 있을까요? 아니면 다른 무엇이 있을까요? 우주가 계속 커질 것인지, 적당히 커진 다음 그냥 그대로 있을 것인지, 아니면 풍선의 공기가 빠지듯이 점점 찌그러들어서 처음의 한 점으로 돌아갈 것인지, 우주의 운명에 대해 아직 현대 물리학은 정확한 답을 내놓지는 못하고 있습니다. 하지만 우주는 지금도 커지고 있다는 편이 우세하답니다.

우주 팽창의 근거로 '적색 편이'라는 것이 있습니다. '적색 편이'란, 내가 나로부터 멀어져 가는 물체에서 나오는 빛을 바라볼 때, 그 빛의 파장이 길어지는 현상입니다. 그러니까 공간이 늘어나는 것을 의미합니다.

여기서 잠깐 몇 가지 물리학 용어들을 정리해 볼까요?

파장이란 전자기파가 한 번 진동할 때의 길이를 말합니다. 파장은 길이 개념이므로, 파장의 단위는 미터이지요. 우리는 파장이 길다고 생각되는 전자기파, 그러니까 몇 센티미터에서 몇 킬로미터의 파장을 가지는 전자기파는 헤르츠 단위를 가지는 주파수로 표현합니다.

92.3 메가헤르츠(MHz) 이런 식으로. 그러나 파장이 짧은 전자기파에는 그냥 그 전자기파의 파장을 붙여서 부릅니다. 980 나노미터(nm) 이런 식으로.

그러면 전자기파란 무엇일까요? 전기장과 자기장이 함께 서로 직각을 이루면서 진동하는, 그러면서 앞으로 나아가는 물리적인 실체를 우리는 전자기파라고 부릅니다.

인간의 눈은 전자기파의 일부 영역을 볼 수 있습니다. 우리는 전자기파를 눈으로 보는 능력을 가졌기 때문에 이 세상을 볼 수 있습니다. 빨강에서 보라까지, 그리고 그 혼합색들까지. 물론 우리가 볼 수 없는 전자기파가 훨씬 더 많기는 합니다.

이제 다시 전자기파의 구성 성분인 전기장과 자기장이란 무엇일까 궁금해집니다.

전기장은 양의 전하 또는 음의 전하가 존재하면, 공간에 생겨나는 장입니다. 장이란 영어의 'Field'를 번역한 말인데, 간단히 생각하면 거미줄을 상상하면 됩니다. 자기장은 자석의 N극이나 S극이 존재하면, 공간에 생기는 장입니다. 그런데 전기장이 변하면 자기장이 생기고, 자기장이 변하면 전기장이 생깁니다. 그러므로 전기장과 자기장이 계속 변하면서 상대를 만들어 내는 것이 전자기파입니다. 이렇게 생긴 전자기파는 텅 빈 공간을 아무런 도움 없이 스스로 진행합니다.

이제 다시 적색 편이 이야기로 돌아가겠습니다. 우리가 볼 수 있는 전자기파에서 빨강이 파랑보다 파장이 길지요. 빨강의 파장은 620 ~ 750 나노미터 정도이고, 파랑의 파장은 450 ~ 500 나노미터 정도입니다. 수십 억 광년 떨어진 별빛의 흡수 스펙트럼을 관찰했더니, 이 선들이 빨강 쪽으로 치우치는 현상이 관찰되었습니다. 모든 방향의 별들이 전부 적색 편이, 즉 빨강 쪽으로 치우치는 현상을 보이고 있었던 것입니다. 이 말은 모든 방향의 별들이 우리로부터 멀어지고 있다는 말입니다. 그리고 이것은 우주 공간이 팽창하고 있다는 것을 증명합니다. 우리는 지금도 팽창하고 있는 우주에서 살고 있는 거지요. 인간의 우주 탐사 프로젝트는 갈 길이 먼데, 우주는 계속 커져버리면 어쩌란 말인가요!

1.6 우주에 대한 감상

어쨌든 우리가 지금 밤하늘을 볼 때, 거기에서 반짝이고 있는 별들이 전부 과거라는 사실은 알고 있겠지요. 빛이 광속으로 달려서 우리의 눈에 들어왔을 때, 우리는 어떤 물체를 본다고 이야기할 수 있으므로, 예를 들어 10 억 광년 떨어진 별을 지금 본다는 것은, 10 억 년 전의 그 별을 보고 있다는 것이 됩니다. 어쩌면 그 별은 지금은 이미 사라지고 없으며, 우리는 남아 있는 별빛만을 보고 있는지도 모릅니다.

인간은 지구라고 이름 붙인 행성에서 현재의 시간을 살고 있기는 하지만, 사실은 넓디넓은 과거의 우주를 바라보면서 살고 있는 것입니다. 어찌 되었든 우주에 속해 있는 우리는 과거와 현재가 섞인 상태를 살고 있습니다. 혹시 압니까? 어딘가 미래도 살짝 섞여 있는지를. 과거로 시간 여행을 하고 싶으세요? 그럼 밖으로 나가서 밤하늘에 박혀 있는 별들을 바라보세요. 거기에 우리 인류가 태어나지도 않았던 시절의 과거가 있답니다.

1.7 은하, 은하단

태양처럼 활활 타는 별, 스스로 빛과 열을 발산하는 별을 우리는 항성(fixed star)이라 이름 붙였으며, 이 항성들이 모여 있는 것을 은하(galaxy)라고 부릅니다. 그리고 은하들이 모여 있는 것을 은하단(cluster of galaxies)이라고 합니다. 은하단의 크기는 30~200만 광년 정도 된다고 합니다. 물리학에서는 우주에 천억 개에서 이천억 개 정도의 은하단이 있을 것으로 추측합니다.

그리고 각각의 은하단에 다시 천억 개 이상의 은하들이 있으며, 다시 하나의 은하에 천억 개 이상의 항성들이 있다고 합니다. 엄청나게 거대한 우주와 또 그 안에 있는 무한대에 가까운 별들의 개수를 생각해 볼 때, 우리 인간은 어떤 존재일까요? 그리고 왜 이 우주에 존재할까요? 가끔씩 궁금해집니다.

1.8 우리 은하

태양계가 속해 있는 은하를 '우리 은하'라고 부릅니다. 우리 은하 역시 천억 개 이상의 태양 같은 별들이 있을 거라 합니다. 우리 은하는 길이가 10 만 광년, 두께는 1.5 만 광년 정도 됩니다. 우리 은하를 빛이 가로질러 가는 시간이 10 만 년이라니, 인간에 비하면 정말로 엄청나게 큰 존재들입니다. 태양계는 우리 은하의 가장자리 팔 쪽에 자리 잡고 있습니다. 그리고 태양계 전체가 우리 은하의 중심 주위를 돌고 있습니다. 즉 우리 은하 전체가 회전하고 있는 것이지요. 지구는 고정된 태양의 주위를 공전하는 것이 아니라, 우리 은하를 돌고 있는 태양 주위를 다시 돌고 있는 것입니다.

1.9 태양계

우리는 태양계에서 살고 있습니다. 태양의 주위를 세 번째로 돌고 있는 지구라는 행성에서 살고 있습니다. 지구 외에도 7 개의 행성들과, 행성들의 주위를 돌고 있는 수백 개의 위성들 그리고 소행성들과 혜성들까지, 태양계에만 해도 아주 많은 우주 가족들이 있습니다.

지구에도 달이라는 위성이 하나 있습니다. 주로 밤에 보이지만, 낮에도 보이기도 합니다. 달에 가 본 사람들 말에 의하면, 그곳에 방아를 찧는 옥토끼는 살고 있지 않았답니다.

모든 지구인들이 날마다 보고 있는 별이 있습니다. 낮에 보이는 단 하나의 별이지요. 이렇게 말하면 무엇을 의미하는지 알 것입니다. 바로 태양입니다. 하지만 우리가 보고 있는 저 태양도 8 분 전의 태양이랍니다. 1억 5천만 킬로미터를 달려서 태양빛이 지구까지 오는 데 걸리는 시간이 8 분이니까요. 8 분이 짧은 시간일까요? 아마 보통 사람들한테는 그렇겠지만, 닫혀 있는 화장실 문 앞에 서 있는 분들한테 8 분이라는 시간은 아마 어마어마하게 긴 시간일 겁니다. 상상을 해 보세요.

똑똑.

“얼마나 걸릴까요?”

“……”

똑똑.

“8분만 기다려 주세요.”

1.10 태양과 지구의 종말

태양이 어떤 이유로 갑자기 가려진다면? 그래서 태양의 빛과 열이 지구로 올 수 없다면?

8 분 후에 지구는 완전한 암흑이 될 겁니다. 말하자면 갑자기 밤이 찾아 온 거지요. 하늘에는 무수히 많은 별들이 반짝이고 있겠지요. 그동안 낮에는 태양의 강렬한 빛에 의해서 우리 눈에 보이지 않았던 별들이 이제는 보입니다. 집이나 빌딩의 전등이 켜져 있으므로, 이 빛에 의지하여 어둠을 헤치고 살아갈 수는 있겠지만, 더 치명적인 것은 온도입니다. 지구는 태양의 열과 빛에 의하여 이 정도의 온도가 유지되고 있는 상태입니다. 태양 에너지가 없어지면, 지구의 온도는 영하 몇 십 도로 내려가게 되고, 온 세상이 꽁꽁 얼어붙겠지요. 바다가 얼어버리면 사람들은 걸어서 혹은 썰매를 타고 대륙을 이동할 수는 있을 테지만, 바다 속에 살고 있는 그 많은 생명체들은 어떻게 될까요? 전부 얼어서 죽게 되겠지요. 지구 내부에서 나오는 뜨거운 열이 분출되는 깊은 바다 속 몇몇 군데는 얼지 않을 수도 있고, 여기에서 약간의 생명체는 살아날 수도 있을 테지

만, 과연 얼마나 오래 견딜 수 있을까요?

나무도 전부 얼어 버릴 것이고, 더 이상 산소를 만들어 내지 못하게 될 것이며, 그러면 육상에 살고 있던 생명체들, 인간을 포함하여 모든 생명들이 전부 숨을 못 쉬게 될 것이고, 그러면 이 지구는 종말을 맞이하게 됩니다. 이 모든 것들이 태양이 없어진 8 분 후부터 시작되고, 모든 것들이 끝을 향해서 짧은 여행을 시작하게 될 겁니다. 그다지 긴 여정은 아닐 거예요.

현재 태양은 절반 정도의 에너지, 태양 에너지는 수소인데, 이 수소를 절반 정도 태웠다고 합니다. 태양의 나이는 대략 50 억 년 정도 되었으므로, 앞으로도 50 억 년 정도 더 활활 타오를 수가 있겠지요. 수소를 전부 태운 태양은 서서히 팽창을 하게 되어, 마침내 금성 또는 지구까지도 삼켜버릴 거라고 합니다. 적색거성이 되는 거지요. 그 다음 다시 수축을 해서 지금의 태양보다 훨씬 작은 백색왜성으로 남게 됩니다. 모든 것이 다시 우주로 돌아간다고 해야 할까요? 태양이나 지구나 모두 영원한 존재들은 아니니까요.

결국 지구는 죽음의 행성이 되면서 사라지게 됩니다. 이것이 이 세상의 종말입니다. 이 세상의 종말은 없을 거라고요? 아닙니다. 태양이 다 타고 꺼지면, 지구도 사라집니다. 이 세상의 종말은 분명히 있습니다. 인류는 이 시간제한을 잘 알고 있으므로, 훨씬 미래의 인류는 다른 태양을 찾아서 넓은 우주를 여행할 준비를 해야 합니다.

물론 다른 방법도 있습니다. 태양이 다 타버린 다음에 지구를 삼켜버리지 않는다는 가정 하에, 인공 태양을 만들어 우주에 띄워 놓으면 됩니다. 반드시 태양만한 크기일 필요는 없습니다.

여기에서 거리의 개념이 나옵니다. 태양이 지금보다 지구에 가까워지면 지구는 너무 뜨거워질 것이고, 태양이 지금보다 지구에서 더 멀어진다면, 지구는 너무 추워질 것입니다. 그러므로 만들 수 있는 최대한의 인공 태양을 만든 다음(그래야 오래오래 사용할 수 있을 테니까요), 만들어진 인공 태양을 지구와 최적인 위치에 가져다 놓으면 되지 않을까요? 문제가 말끔히 해결되었습니다. 태양이 꺼졌어도 지구는 무사합니다. 그런데, 정말 그럴까요? 아닙니다. 태양계에는 태양을 비롯하여 8 개의 행성과 수백 개의 위성들이 있습니다. 지금 존재하고 있는 태양의 중력 덕분에 우리 태양계의 형태는 유지되고 있습니다. 작은 태양을 만들어 지구 근처의 우주에 띄워 놓는다면, 태양계의 다른 행성들과 위성들은 어떻게 될까요? 태양계 전체의 중력 분포가 달라졌으므로, 분명히 행성들의 운동 역시 달라지겠지요. 지구와 충돌할 수도 있습니다. 또는 달이 지구로 떨어져버릴 수도 있고요.

역시 태양은 지금 그대로 존재하는 것이 제일 좋겠습니다. 50 억 년 후 태양이 꺼질 때쯤에는 인류는 거대한 우주선을 만들어 다른 태양을 찾으러 먼 우주여행을 떠나야겠지요.

제2장 세상의 기본

2.1 원자의 구조

아주 오랜 전 옛날에 누군가가 이렇게 말을 했습니다.

"이 세상의 모든 것들을 이루고 있는 근본이 있을 것이다. 나는 그것을 아톰이라 부르겠다."

뭐라 부르던지 하나도 안 중요합니다. 아마도 학생들은 위의 말을 한 사람이 누구인지 열심히 이름을 외우고, 또 그의 말에 대하여 최초로 원자론을 주장한 사람이라고 어쩌고저쩌고 할 것인데, 그것은 정말로 중요하지 않은 일입니다. 단지, '아! 그렇게 생각했던 사람이 있었구나!' 이런 정도면 충분합니다.

이 세상의 모든 것을 이루고 있는 가장 근본은 무엇일까에 대한 답은, 우리가 원자라고 이름 붙인 바로 그것입니다.

잠깐 나를 살펴볼까요? 나의 몸은 세포로 구성되어 있습니다. 그러나 이건 생물학에서 하는 이야기이고, 물리학에서는 절대 이렇게 말하지 않지요. 조금 더 원론적으로 이야기를 합니다.

"인간의 몸은 원자로 이루어져 있다."

실제로 인간의 세포 하나하나에는 약 100 조 개의 원자가 있다고 합니다. 그리고 우리의 몸에도 대략 100 조 개의 세포가 있다고 합니다. 그러면 우리의 몸에 있는 원자의 수는, 100 조의 100 조 배 만큼 있겠지요. 이렇게 많은 원자들이 어디에서 왔을까요? 여기에 대한 해답을 찾기 위해서는, 다시 우주로 관점을 돌려야 합니다.

우리는 우주 안에 살고 있습니다. 그리고 우주의 바깥은 없다고 합니다. 이 세상 전체가 우주라는 것이니까, 전체에 포함되지 않는 것은 없는 거지요. 우주의 바깥은 없고, 우리는 우주에 살고 있다? 그럼 과연 어떤 일이 생길까요?

내가 지금 혼자서 방 안에 있습니다. 방은 완전히 닫힌 시스템입니다. 내가 재채기를 하거나 혹은 기체를 몸 밖으로 배출하거나 하더라도, 나의 몸에서 나온 것들은 온전히 이 방안에 존재할 겁니다. 방 밖으로 나갈 수가 없으니까요.

마찬가지로 우주의 모든 것들은 우주 안에서만 존재할 것입니다. 이렇게 우리의 몸을 이루는 원자들 역시 우주 안에 존재해 왔습니다. 우주가 처음에 탄생하던 때, 그리고 시간이 지나면서 점점 생겨났던 원자들이 돌고 돌아서 지금 우리의 몸을 이루고 있습니다. 가만히 생각을 해 볼까요? 지금부터 약 137 억 년 전에 우주가 탄생했습니다. 그러면서 셀 수도 없이 많은 원자들이 만들어졌습니다. 그 원자들은 돌고 돌아서, 뭔가를 구성했다가 파괴되고, 다시 또 다른 뭔가를 구성하고, 그러다가 아주 우연히 나의 몸을 구성하게 되었을 겁니다. 우주는 닫힌 시스템, 우주의 바깥은 없으니까. 그러므로 부서진 무언가에서 나온 원자들은 우주를 떠돌다 지구에 우연히 오게 되더니 그만 어떤 누군가의, 남자 혹은 여자의 몸에 들어가 거기에서 세포를 구성하다가, 또 어쩌다가 생식 세포의 한 부분이 되더니, 나의 몸이 되었을 겁니다. 설마 내 몸의 원자들이 완전 새 것이라고 생각들을 하고 계시는 것은 아니겠지요? 우리 몸은 재사용된 원자들이 모이고 모여서 만들어졌습니다. 어쩌면 기분이 안 좋을 수도 있고 슬플 수도 있겠지만, 절대로 그런 것은 아니랍니다. 원자는, 물론 여기에도 인간의 지식의 한계가 있겠지만, 우리 몸을 이루고 있을 뿐만 아니라 이 세계 그리고 나아가서 이 우주를 이루고 있는 모든 물질의 기본 구성 요소인 원자는 낡아빠지지 않는다고 합니다. 중고가 되지 않고 항상 새 것이라고 합니다. 어떻게 이런 일이 가능할까요?

그러면 반대로 낡아빠진다는 것이 무엇을 의미하는지 생각을 해 봅시다. 무엇인가가 오래되면 서서히 외양이 부서지지요. 더불어 기능도 점점 떨어지게 됩니다. 사람도 마찬가지입니다. 점점 외부의 모습이 조금씩 무너져 내리는 어떤 물체를 상상해 볼까요? 계속해서 부서지면서 질량과 부피가 점점 작아질 겁니다. 언제까지? 아마 원자 하나하나로 나누어질 때까지 진행될 겁니다. 그다음에는 어떻게 될까요? 원자가 다시 부서질까요? 생각하기에 그럴 수도, 그렇지 않을 수도 있겠지요. 우리는 쉽지는 않지만, 인위적으로 원자를 쪼갤 수 있는 기술을 가지고 있습니다. 이런 경우가 아니라, 자연적으로 원자가 사라져 버리는 경우가 있을까요? 현재의 물리학에서 원자는 소멸하지 않는 존재로 생각되고 있습니다. 원자는 절대로 낡지 않으며, 영원합니다. 단지 원자들의 결합체들이 분해될 뿐입니다. 그리고 이 원자들은 다시 새로운 결합을 만들어 갑니다.

그럼 원자란 무엇이며 어떻게 생겼는지 알아볼까요?

우리가 원자에 대해서 전혀 몰랐을 때는, 아마도 원자란 막연히 어떤 하나로 된 존재일 것이라고 생각을 했을 겁니다. 원자는 원자 자체로 이루어져 있다 이거지요. 하지만 물리학에서는 원자가 또 다시 더 작은 구성요소로 되어 있다는 것을 발견했습니다.

원자는 원자핵과 전자로 이루어져 있고, 다시 원자핵은 양성자와 중성자로 이루어져 있었습니다. 그러니 원자는 양성자와 중성자 그리고 전자로 되어 있는 셈입니다. 원자가 모든 물질의 가장 기본이라고 했는데, 다시 그걸 이루는 요소가 있다고 하면 어째 말이 앞뒤가 맞지 않는 것 같지만, 그리고 실제로 말이 앞뒤가 맞지 않지만, 꼭 그런 것만은 아닙니다.

양성자, 중성자 그리고 전자 각자가 모여서 이 세상의 어떤 존재를 만들 수는 없습니다. 그것은 양성자 모임 또는 전자 모임입니다. 이 세 가지 입자들이 적당히 뭉쳐서 원자라는 또 다른 존재로 바뀌어야만, 이 원자라는 것이 뭉쳐서 물질을 만들게 됩니다. 그러므로 물질이 생기기 위해서는 원자가 반드시 필요하게 됩니다. 또 다른 존재가 된다는 것은 양성자나 중성자나 전자의 상태로 있을 때와는 완전히 다른 성질이 생긴다는 뜻입니다.

반대로 생각해 보면, 물질을 쪼개고 또 쪼개면 원자 단위까지 나누어지겠지요. 예를 들자면, '그래핀'이 있습니다. 흑연 덩어리의 위에 접착테이프를 붙인 다음, 살살 떼어내면, 흑연 원자 한 층이 접착테이프에 붙어서 흑연 본체로부터 떨어져 나올 수가 있습니다. 우리는 방금 물질을 원자 단위로 나눈 것이랍니다. 게다가 위의 실험은 누구나 할 수 있습니다. 연필 가지고 계시지요?

하지만 그래핀을 이루고 있는 탄소에서 다시 양성자나 중성자나 전자를 떼어내고자 한다면, 이것은 아주 어려운 일이 될 겁니다. 그리고 탄소 원자는 자체의 고유한 특성을 가지고 있지만, 원자 상태가 붕괴되어 더 작은 입자로 쪼개지면, 자신의 특성이 사라지고 맙니다. 그러므로 물질의 기본은 원자인 셈이지요.

원자의 구조를 간단히 표현하면, 원자는 중심부에 원자핵이 있고, 원자핵의 주위를 전자가 회전하고 있습니다. 원자핵은 다시 양성자와 중성자가 모여서 되어 있습니다. 그러나 양성자와 중성자들이 딱 붙어 있는 상태는 아닙니다. 양성자는 플러스 전기를 띠고 있는 입자이고, 전자는 마이너스 전기를 띠고 있는 입자입니다. 중성자는 이름 그대로 전기를 띠고 있지 않은 입자입니다. 왜 양성자가 플러스 전기를 가지고 있고, 전자가 마이너스 전기를 가지고 있을까요? 그건 우리들이 그렇게 정했기 때문입니다. 반대로 정했어도 상관없었겠지요.

우리는 같은 전기끼리는 밀고 다른 전기끼리는 끌어당긴다고 알고 있습니다. 왜 그런지는 아무도 모른답니다! 그렇지만 이런 생각을 해 볼 수는 있겠지요.

예를 들어, 같은 전기끼리는 서로 당기고, 다른 전기끼리는 밀어낸다고 가정을 해 볼까요? 그럼 양성자와 전자는 서로 끌어당기니까 - 이건 실험적 사실이지요. - 같은 전기를 가지고 있는 셈이고, 양성자와 양성자는 서로 밀어내니까 서로 다른 전기를 가지고 있게 됩니다. 그러면 모든 양성자는 전부 다른 전기를 띠어야 하므로 전기의 종류가 무한대가 되어 버립니다. 모순입니다. 그러므로 서로 밀어내는 입자는 같은 전기적 성질을, 서로 끌어당기는 입자는 반대의 전기적 성질을 가지고 있다고 할 수 있습니다.

그렇다면 원자핵의 양성자들은 서로 같은 플러스 전기를 가지고 있으므로, 밀어내야 하는 거 아닐까요? 그런데 어떻게 원자핵을 구성하고 있을까요? 그것은 어떤 힘(강력 또는 강한 핵력)으로 묶여 있기 때문입니다. 힘을 매개하는 소립자(글루온)라고 하는 것들을 주고받으면서. '이런 젠장! 대체 소립자는 뭐야?' 할 수도 있겠지만 원자라는 것이 그렇게 되어 있습니다. 양파처럼 껍질을 벗겨도 계속 뭔가 나올 수가 있지요.

그리고 원자핵에 들어 있는 양성자의 개수와 원자핵의 둘레를 돌고 있는 전자의 개수는 같습니다. 그래서 원자는 전기적으로 중성을 띄고 있습니다. 이런 경우를 중성 원자라 합니다. 만약 원자가 전기적으로 중성이 아니라면, 이 세상 모든 것들은 전부 플러스 또는 마이너스 전기를 띠고 있게 되겠지요. 그러면 물체들은 서로 끌어 당겨서 붙어 버리거나, 서로 밀어 내어서 힘이 약한 쪽은 어디론가 가 버릴 겁니다. 다른 경우로 전자가 양성자보다 더 적거나 더 많을 수도 있습니다. 이런 경우를 이온이라 부릅니다. 전기적으로 양성이거나 음성인 원자 또는 원자들의 모임을 이온이라 합니다.

그럼 간단히 정리를 해볼까요?

모든 것들을 이루고 있는 가장 기본은 원자이고, 원자는 원자핵과 전자로 나눌 수 있으며, 원자핵은 양성자와 중성자가 모여서 되어 있다!

여기에 딱 하나 예외가 있습니다. 원자번호 1번인 수소(보통 수소)에는 중성자가 없습니다. 수소는 양성자 하나와 전자 하나로 되어 있습니다. 그리고 이 우주에 가장 많이 존재하는 원자가 바로 수소입니다. 오! 이 우주는 수소 천지라네! 그렇지만 우주의 상당 부분은 아무 것도 없는, 혹은 암흑물질로 차 있는 공간입니다.

이제 원자의 속을 좀 더 자세히 들여다볼까요?

원자핵과 전자로 이루어진 원자 구조와 원자핵의 주위를 전자가 돌고 있다는 해석은 아주 훌륭했습니다. 그러데 여기에 또 다시 문제가 생겼습니다. 회전하는 물체는 비록 일정한 속력으로 돌고 있다고 하여도, 회전 자체가 방향을 바꾸는 것이므로, 벡터적으로 해석을 하면, 실제로는 가속 운동을 하고 있는 것입니다. 즉 힘이 가해지고 있는 상태입니다. 원자핵에 있는 양성자와 전자는 서로 정전기적 인력으로 끌어당기고 있으므로 분명 힘이 존재합니다. 실에 물체를 매달아 빙글빙글 돌리는 것과 같지요.

고전 물리학 이론에 의해서 전개를 해 볼까요? 전자는 전하를 가지고 있고, 전하를 가지고 있는 전자가 가속을 하면 주변의 전기장이 변하게 되고, 전기장 변화는 전자기파의 방출을 가져오며, 전자기파를 방출하는 전자는 에너지가 줄어들게 됩니다. 그러면 전자의 궤도 반지름이 점차 작아지게 되고 끝내는 원자핵에 충돌해야만 하겠지요. 그러면 원자가 어떻게 안정한 상태를 유지할 수가 있겠습니까? 고전 물리학은 이 현상을 설명할 수가 없었습니다. 그래서 여기에 다시 새로운 가정이 등장하게 됩니다.

정상 상태의 원자에서는, 원자핵의 주위를 회전하는 전자가 전자기파를 방출하지 않는다고 가정을 한 것입니다. 즉 에너지를 잃지 않는다는 것입니다. 단순하지요? 그러나 이것이 맞는 설명이었습니다. 그리고 전자의 궤도가 양자화 되어 있다고 추측하게 되었습니다. 즉 양자화 된 정상 상태들 사이에서의 전자 전이 때만, 전자기파가 방출 또는 흡수된다고 생각하였습니다. 그럼으로써 상당 부분 불가능했던 부분이 설명 가능하게 되었습니다.

양자화 되어 있다? 생소한 개념일지도 모르겠습니다. 이렇게 생각을 해 볼까요? 두 사람이 지금 긴 계단의 중간 정도에 서 있습니다. 서로 가위, 바위, 보를 합니다. 규칙은 다음과 같습니다. 바위로 이기면 한 칸, 가위로 이기면 두 칸 그리고 보로 이기면 다섯 칸을 올라갑니다. 진 사람은 반대로 내려갑니다. 두 사람 모두 위로 올라갈 수도 있고, 아래로 내려갈 수도 있습니다. 하지만 계단과 계단 사이에는 서 있을 수가 없습니다. 즉 한 칸 반이나 두 칸과 3분의 2, 이런 식으로는 이동할 수가 없습니다. 바로 이것이 양자화입니다. 어떤 양이 기본 양의 정수배로만 존재한다는 의미입니다.

원자핵의 주위에 있는 전자들의 궤도가 계단처럼 되어 있는 것입니다. 전자는 이 계단을 한 칸씩 또는 여러 칸을 올라가거나 내려갈 수는 있지만, 계단과 계단 즉 궤도와 궤도 사이에는 존재할 수가 없습니다. 이것이 양자화된 전자 궤도 이론입니다.

그러나 이것으로써 우리가 원자 구조에 대하여 전부 알게 된 것은 아니었습니다. 현재의 원자 구조 이론에 의하면, 전자는 궤도에 있지만, 궤도의 어딘가에 존재할 확률로만 우리는 알 수가 있다고 합니다. 우리는 이것을 전자구름이라고 부르고, 오비탈 이론이라고 합니다. 여기에도 당연히 양자화된 궤도들만이 존재하고, 이 궤도를 점들로 이루어진 구름과 비슷한 형태로 그려서 설명할 수 있습니다. 점들이 빽빽이 있는 곳은 전자가 존재할 확률이 높은 곳이고, 반대로 점들이 드문드문 있는 곳은 전자가 존재할 확률이 낮은 곳입니다. 원자의 세계는 확률에 기초하여 구성되어 있는 셈입니다.

이렇게 정확히 어느 곳에 존재하는지 알 수 없는 전자의 궤도를 설명할 수 있는 네 가지 숫자가 있습니다. 먼저 주양자수라는 것이 있습니다. 주양자수는 자연수입니다. 영어로도 한 번 써볼까요? Principle Quantum Number. 이것은 전자의 에너지 준위를 결정하는 수입니다. 흔히 전자껍질이라고 표현하는 바로 그 숫자입니다. 첫 번째 궤도에 전자가 있으면, 전자는 1 번 궤도 혹은 K 껍질에 있다고 합니다. 그 다음 껍질은 L, M, N, O 이렇게 나갑니다.

다음으로 부양자수 또는 궤도 각운동량 양자수라는 것이 있습니다. 영어로는 Orbital Angular Momentum Quantum Number. 이것은 위의 껍질이 서로 다른 궤도 각운동량을 가지는 궤도로 이루어져 있다는 것입니다. 이것은 주양자수보다 0을 포함한 작은 자연수만 가능합니다. 주양자수가 1이면 부양자수는 0만 되고, 주양자수가 3이면 부양자수는 0,1 그리고 2가 될 수 있습니다. 우리는 부양자수가 0인 오비탈을 s, 1인 오비탈을 p 그리고 2인 오비탈을 d라 부릅니다. 아마 고등학교 때 몇 번쯤 들어 보았을 것입니다. 아직 고등학생이 아닌 학생들은 모르는 것이 당연하겠지만.

각운동량에 대해서 정리를 잠깐 하겠습니다.

스칼라와 벡터라는 물리량이 있는데, 스칼라는 크기만 있는 양이고, 벡터는 크기와 방향이 있는 양입니다. 스칼라는 방향이 달라져도 같지만, 벡터는 방향이 달라지면 다른 양이 되지요. 내가 동쪽으로 가는 것과 서쪽으로 가는 것은 분명 다른 현상이기 때문입니다. 그래서 직선으로 움직이는 물체의 속도 방향은 물체가 움직이고 있는 방향입니다. 동쪽으로 움직이면 동쪽 방향이고, 서쪽으로 움직이면 서쪽 방향이지요.

그러면 회전하고 있는 물체의 방향은 어떻게 정할까요? 회전하는 물체의 속도 방향은 계속 바뀌고 있습니다. 원운동을 하고 있다고 가정하면, 원의 접선 방향이 그 순간 그 물체의 속도(선속도) 방향이 되겠습니다. 이래서는 회전체의 속도 방향을 정할 수가 없게 되지요. 그래서 변하지 않는 방향이 필요하게 되었습니다.

반시계 방향으로 돌고 있는 얇은 디스크를 상상해 볼까요? 그리고 오른손의 엄지를 제외한 네 손가락을 살짝 구부려 보세요. 그러면 반시계 방향으로 구부러지지요. 지금 디스크가 그 방향으로 돌고 있습니다. 이때 엄지를 똑바로 세우면, 엄지는 디스크의 면과 수직으로 있게 됩니다. 디스크가 아무리 회전을 해도, 디스크의 면과 수직인 이 방향은 변하지 않습니다. 이 방향이 바로 디스크의 각운동량 방향입니다. 디스크가 기울어진 상태로 돌고 있습니다. 그러면 엄지의 방향도 기울어집니다. 각운동량의 방향이 변했습니다. 각운동량은 벡터이므로 각운동량이 변한 것입니다.

운동량(선운동량)과 각운동량을 비교해 볼까요?

선운동량(Linear Momentum)은 질량 곱하기 속도로 정했습니다. 그러면 각운동량(Angular Momentum)은? 각운동량에서 질량을 의미하는 것은 관성능률(관성모멘트)이라는 것입니다. 그리고 선속도는 각속도로 대응됩니다. 그러므로 각운동량은 관성능률 곱하기 각속도입니다.

속이 꽉 찬 단팥빵이 회전을 하고 있습니다. 그 다음 단팥빵 반지름의 절반을 파내서 도넛을 만들었습니다. 역시 같은 각속도로 회전을 시킵니다. 똑같은 각속도로 회전하고 있는 두 물체의 각운동량은 같을까요? 아니면 다를까요? 분명 물체의 모양이 다른데 어찌 각운동량이 같을 수가 있겠습니까? 여기에서 관성능률이 필요하게 됩니다. 단팥빵과 도넛은 서로 다른 관성능률을 가지고 있습니다.

다시 전자 궤도로 돌아가서, 세 번째는 자기 양자수라는 것이 있습니다. 영어로는, 아마 여기까지 했으면 눈치 챘을지도 모릅니다만, Magnetic Quantum Number라고 합니다. 이것은 부양자수가 특정 방향으로만 공간상에서 존재한다는 것을 의미합니다. 그래서 이것을 공간의 양자화라고도 합니다. 어떤 특정한 방향으로만 궤도가 존재할 뿐, 다른 방향으로는 존재할 수가 없다는 것이지요. 이 자기양자수는 s 오비탈에는 없고, p 오비탈에는, p가 1이므로 (-1),0 그리고 (+1) 이렇게 세 개가 존재합니다. d 오비탈에는, d가 2이므로, (-2),(-1),0,(+1) 그리고 (+2) 이렇게 다섯 개가 존재합니다. 음, 점점 요상해져 가고 있습니다. 원자 구조가 이렇게 복잡하답니다. 그리고 이런 내용들은 전부 전자 궤도에 관한 것들입니다.

마지막으로 스핀 양자수가 남아 있습니다. Spin Quantum Number. 다행스럽게도 스핀 양자수는 모든 전자에 동일합니다.

(+1/2)이거나 (-1/2)입니다. 스핀 양자수는 원자핵의 주위를 도는 전자가 그냥 도는 것이 아니라, 지구가 태양 주위를 공전하면서 자전도 하는 것처럼, 자기 자신이 스스로 팽이처럼 돌고 있다는 개념입니다. 쉽게 생각해서 양수의 스핀을 가지는 전자는, 오른손 엄지를 위로 하고 네 손가락을 감은 방향으로 돈다고 하고, 음수의 스핀을 가진 전자는 반대 방향으로 돈다고 합니다. 그러나 거짓말입니다. 하지만 편의상 이해를 위하여 전자가 회전하고 있다는 개념을 사용하고 있을 뿐입니다. 물리적으로 말하면 "전자의 스핀은 위이거나 아래이다." 이렇게 하면 됩니다. 즉 전자는 모두가 같은 스핀을 가지고 있는 것이 아니라 두 종류의 서로 다른 스핀을 가지고 있습니다.

이러니 물리학을 배우는 사람들이 정상 상태를 유지하기가 힘들어지는 것 아닐까요? 어찌되었든 현재의 물리학에서는 원자의 구조를 이런 식으로 설명하고 있습니다. 그리고 가장 중요한 한 가지! 위의 네 가지 숫자가 모두 같은 전자는 없습니다. 이것을 배타원리라고 부릅니다. 모든 전자는 전부 각자가 다른 양자 상태에 존재합니다. 주양자수, 부양자수 그리고 자기 양자수가 동일한 전자 두 개가 있다고 하면, 이 두 전자는 분명히 스핀이 서로 반대입니다. 스핀 양자수가 다른 거지요.

전자의 특징은 또 있습니다. 과학에서 영구기관은 불가능하다고 합니다. 실제로 불가능하지요. 그러면 전자 역시 언젠가는 원자핵의 주위를 도는 운동을 멈출까요?

온도가 있으면, 즉 자신의 에너지가 있으면 원자는 운동을 합니다. 왔다 갔다 하기도 하고 회전하기도 합니다. 만약 온도를 점점 내리면, 원자의 운동 역시 점점 작아지겠지요. 그래서 절대영도(-273 도)까지 내려간다면 어떻게 될까요? 에너지가 완전히 사라질까요? 물리학에서는 이때도 에너지는 사라지지 않고 존재한다고 합니다. 그러니까 가장 낮은 상태(ground state)에도 에너지는 있습니다. 전자 역시 절대영도가 되더라도 운동을 멈추지 않고 계속 원자핵의 주위를 회전할 겁니다. 전자는 영구운동을 하고 있는 셈입니다. 위에서 나왔었지요. '정상 상태의 전자는 에너지를 잃지 않는다.'

2.2 원자와 원자핵의 크기 그리고 진공

원자와 원자핵의 크기는 얼마나 될까요? 먼저 전자까지 포함하고 있는 원자의 크기에 대해서 알아봅시다. 원자마다 실제로 크기가 다르지만, 가장 작은 원자인 수소 원자로 얘기하겠습니다.

원자의 지름은 $[10^{(-10)}]$ 미터 정도입니다. $[10^{(-9)}]$ 미터가 1 나노미터이므로, 원자는 0.1 나노미터 정도의 크기를 가지고 있습니다. 그러면 원자핵의 크기는? 원자핵의 크기는 $[10^{(-15)}]$ 미터 정도라고 합니다. 1 펨토미터 정도 되지요. 원자와 원자핵 크기의 비율은 십만 배입니다. $[10^{(-10)}]$을 $[10^{(-15)}]$로 나누면 됩니다.

그런데 위의 숫자들은 그리 쉽게 상상이 되지 않습니다. 내가 직접 체감할만한 그런 느낌이 안 옵니다. 그래서 비유를 들어 보겠습니다. 먼저 원자핵을 지름이 1 센티미터인 자그마한 공이라 하면, 원자의 크기는 원자핵의 십만 배니까, 십만 센티미터가 되고, 이것을 미터로 고치면 천 미터가 됩니다. 천 미터는 1 킬로미터가 되지요. 원자핵의 지름이 1 센티미터라면, 원자의 지름은 1 킬로미터입니다. 상상을 해 보세요. 중심부에 1 센티미터 원자핵이 있고, 여기로부터 500 미터 떨어진 곳을 전자가 돌고 있습니다(반지름으로 해야 합니다.).

우와! 굉장합니다.

그리고 더 중요한 점은, 원자핵과 전자 사이의 공간에 아무 것도 없습니다. 아무 것도! 즉 원자의 99.999 퍼센트(이 숫자는 계산을 해 봐야겠지만 그냥 넘어가겠습니다.)는 비어 있는 빈 공간입니다. 이 세상 모든 만물은 원자로 되어 있으므로, 이 세상 모든 만물의 99.999 퍼센트는 빈 공간이 되겠습니다. 우리의 몸 역시 우리가 느끼지 못하는 99.999 퍼센트의 빈 공간에 단지 0.001 퍼센트를 이루는 원자핵과 전자들로 이루어져 있습니다. 우리 자신의 대부분이 빈 공간이라는 점이 믿어지십니까? 이 비어 있는 공간을 우리는 진공이라 부릅니다. 결국 이 세상의 대부분 아니 거의 전부는 텅 비어 있는 진공입니다.

잠깐 실험을 하나 해 보고자 합니다. 25 미터 레인이 4 개 있는 수영장이 있습니다. 한 레인의 폭은 1 미터로 하고, 깊이는 1.5 미터 정도로 하겠습니다. 여기에 가득 차 있는 물의 부피는 25 곱하기 4 곱하기 1.5 입니다. 답은 150 세제곱미터가 나옵니다. 이 수영장의 물을 전부 원자핵과 전자로 나누어서 조금의 빈틈도 없이 차곡차곡 쌓아올리면 과연 얼마만한 크기나 나올까요? 수식을 동원하여 복잡하게 풀지 말고 단순하게 생각을 한다면, 150의 0.001 퍼센트로 부피가 줄어들게 되므로, 150의 0.00001은 (퍼센트를 수로 고치면 다시 100으로 나누어야 하지요.) 0.0015가 됩니다. 단위가 세제곱미터였으므로 세제곱센티미터로 고치기 위해서는, 0.0015

에 백만을 곱하면 됩니다. 1500 세제곱센티미터가 나옵니다. 1500 밀리리터, 즉 1.5 리터가 됩니다. 2 리터짜리 생수 한 통도 안 되는군요. 위의 수영장에 가득 차 있는 물에서 진공을 제외한 진짜 원자의 부분은 단지 1.5 리터 밖에 안 됩니다. 이와 같은 방법을 사람에 적용할 수 있다면, 영화에서나 가능한 앤트맨(Antman)이 현실에서도 가능할지 모르겠습니다.

그럼 이제 저 아담한 원자 덩어리를 번쩍 들어볼까요? 들기 전에 부상을 방지하기 위하여, 무게가 얼마나 될지 계산을 해 봅시다. 참고로 물의 밀도는 1 (그램/세제곱센티미터) 입니다. 수영장 물의 부피는 150 세제곱미터이고, 여기에 백만을 곱하면 세제곱센티미터로 바뀝니다. 물 1 세제곱센티미터가 1 그램이므로, 수영장의 물은 150 곱하기 백만 그램이 되겠지요. 1000으로 나누면 킬로그램으로 바뀌게 되므로, 물 전체 질량은 150 곱하기 1000 킬로그램

입니다. 다시 이 숫자를 천으로 나누면, 물의 질량은 150 톤이 됩니다. 진공은 아무 것도 없으므로 질량이 없습니다. 그러므로 우리가 만든 1.5 리터짜리 원자 덩어리의 질량은 150 톤입니다. 자 이제 다시, 이 아담한 원자 덩어리를 번쩍 들어볼까요?

(계산이 복잡한 것처럼 보이지만, 간단한 방법도 있습니다. 물 1 세제곱미터가 1 톤입니다. 그러므로 150 세제곱미터는 150 톤이지요.)

비록 텅텅 비어 있는 진공으로 대부분 이루어진 물질세계이지만, 자신의 원자 질량은 그대로 가지고 있답니다. "텅 비어 있다면서 왜 이리 무거워?" 이제 마트에서 생수 2 리터짜리 6 팩 들이를 사가지

고 오면서 얼마나 낑낑댔는지 느낌이 오지요.

2.3 원자의 탄생

우주의 처음인 빅뱅 후 엄청나게 많은 입자들이 탄생을 했습니다. 원자보다 훨씬 더 작은 그리고 앞으로 서로 결합하여 원자로 될 입자들이었습니다. 우리는 이것들에 쿼크라는 이름을 붙였습니다. 그러니까 원자의 구성 성분인 양성자와 중성자는 쿼크들이 모여서 만들어졌습니다. 전자들도 생겼습니다. 시간이 흐르면서, 우주를 떠돌던 음전하를 가진 전자들이 양전하를 가진 양성자들과 서로 끌어당김으로써, 원자가 탄생했습니다. 물론 처음에는 당연히 수소였습니다. 지금도 우주에는 수소가 제일 많지요. 수소는 양성자 하나와 전자 하나가 만나 만들어진 원자입니다. 예외적으로 중성자가 하나 함께 결합된 중수소와, 중성자가 두 개 결합된 삼중수소가 있기는 하고, 우리는 이런 원소를 수소의 동위원소라고 합니다.

수소가 핵융합을 하면 에너지를 방출하면서 헬륨이 되지요. 바로 태양과 같은 별들이 핵융합을 하고 있는 중입니다. 자신의 가장 많은 구성 성분인 수소를 헬륨으로 바꾸면서, 빛과 열을 우주 공간으로 발산하고 있습니다. 수소가 전부 헬륨으로 바뀌면 이제 더 이상태울 것이 없으므로, 꺼져갈 것입니다. 별의 죽음입니다. 그리고 다른 형상으로 바뀌어 가게 됩니다.

아직 정확히는 밝혀지지 않았지만, 계속 시간이 흐르면서, 우주에는 더 무거운 원자들이 출현합니다. 이 세상에 있는 원자들은 그렇게 생겨났답니다. 우주 공간에서 쿼크들이 양성자와 중성자로, 양성자와 중성자들도 서로 결합을 하고, 여기에 전자들이 또 결합을 하면서, 우리가 번호를 붙인 원자번호 1 번인 수소부터 원자번호 98 번인 칼리포르늄까지 만들어졌습니다.

그런데 쿼크란 무엇일까요? 쿼크는 현재까지 알려진 가장 기본적인 입자입니다. 기본 입자들은 쿼크에 더하여 몇 개의 렙톤(전자는 렙톤으로 분류됩니다.)들과 또 몇 개의 게이지 입자(광자는 게이지 입자로 분류됩니다.)들도 있기는 하지만, 이것들은 나중에 다시 언급하겠습니다. 쿼크는 6 가지가 발견되었습니다. 나열해 보자면, 위(업-up) 쿼크, 아래(다운-down) 쿼크, 기묘(스트레인지-strange) 쿼크, 매력(참-charm) 쿼크, 꼭대기(탑-top) 쿼크 그리고 아래(바텀-bottom) 쿼크입니다. 쿼크 이야기는 일단 여기까지 하려 합니다.

2.4 원자의 종류

모든 것들을 이루고 있는 가장 기본적 물질인 원자는 자연에 98 종류가 존재합니다. 우리는 편의성을 위하여 원자에 번호와 이름을 붙였습니다. 원자들의 이름은 언어에 따라 다르게 표현되지만, 원자 번호는 전 세계에서 동일합니다. 혹시 영어를 사용하는 외국에 나가서 과자를 샀는데, 봉지에 과자는 별로 없고 질소만 가득 들어 있는 경우를 만나면 그리고 이때 나이트로젠(nitrogen)이라는 이름이 생각나지 않으면, 그냥 이렇게 말하면 됩니다.

"Oh, no! only atomic number 7."

원자번호의 예를 들자면, 수소는 1번, 헬륨은 2번, 리튬은 3번, …… 우라늄은 92번 이런 식으로 번호를 붙였습니다. 이후로도 93 번부터 계속되어서 지금은 118 번까지 있습니다. 93 번부터 118 번까지는 인간이 실험실에서 만든 원소들입니다. 그런데 93 번부터 98 번까지는 자연계에서 발견되었습니다. 그러므로 이제는 99 번부터 실험실 원소라고 해야겠지요. 그러므로 우리의 우주는 98 가지의 기본 블록들이 모여서 만들어진 셈입니다.

그러면 어떻게 원자에 번호를 붙였을까요? 바로 양성자의 개수를 가지고 번호를 만들었습니다. 중성 원자는 양성자와 전자의 개수가 같으므로, 전자의 개수라고 해도 되겠지만, 원자가 이온이 되는 경우에는 전자의 수가 달라지므로, 아무래도 양성자의 개수라고 하는 편이 더 낫겠습니다.

2.5 원자의 족, 원자의 주기

원자들에 번호를 붙여서, 번호 순서대로 표를 만들어 놓은 것을 우리는 주기율표라 합니다. 주기율표의 세로로 배열되어 있는 원소들을 같은 족에 속한다 하고, 가로로 배열되어 있는 원소들을 같은 주기에 있다 합니다. 주기가 넘어가면 원자의 전자껍질이 하나씩 증가합니다. 즉 주양자수가 하나 더 증가하는 셈이지요. 그리고 같은 족은 최외각전자의 개수가 같은 원자들의 모임입니다. 물론 간단히 말해서 그렇다는 것이고, 자세히 말하려면 상당히 복잡해지고 까다로워집니다. 그리고 이런 내용과 각각의 원자들의 성질은 아무래도 물리학보다는 화학 쪽에서 많이 다루고 있으므로, 여기서는 생략하겠습니다.

2.6 금속원소, 비금속원소

원자들은 크게 그룹을 지으면, 금속 원소와 비금속 원소로 나눌 수 있습니다. 그리고 일부 금속 원소 중 비금속의 성질을 가지고 있는 것이 있는데, 이것들은 양쪽성 원소라고 불리기도 합니다. 금속은 우리 주위에서 흔히 볼 수 있습니다. 가장 대표적인 것으로는 구리와 철이 있습니다. 인류 문명을 청동기 시대니 철기 시대니 구분할 정도이니, 구리와 철이 우리와 얼마나 가까운 원소들인지 알 수가 있을 겁니다. 금속은 일반적으로 전기가 흐르고, 비금속은 반대로 전기가 잘 흐르지 않는 특성을 가지고 있습니다. 그 이유는 원자들이 물질을 이룰 때의 결합 방식이 다르기 때문입니다. 그러면 결합 방식에 대하여 알아볼까요?

2.7 원자들의 결합

원자들이 결합하는 방식에는 크게 나누어 세 가지 정도 있습니다. 금속 결합, 공유 결합, 그리고 이온 결합입니다.

금속 결합은 금속과 금속이 결합하는 방식으로서, 결합에 관여하는 전자들은 각 금속 원자에 속박되지 않고, 자유로이 금속 전체를 돌아다닐 수가 있습니다. 그래서 금속은 전기가 통합니다. 예를 들자면 거의 모든 금속이 여기에 해당합니다.

공유 결합은 비금속과 비금속이 결합하는 방식인데, 각 원자들이 자기의 전자 몇 개와 상대 원자의 전자 몇 개를 함께 공유합니다. 전자들이 원자핵과 강하게 결합되어 있기 때문에, 전기가 통하기가 힘듭니다. 지구 대기의 대부분을 이루고 있는 질소와 산소가 이 경우에 해당됩니다. 전기는 전자가 이동하는 현상이므로, 전자가 이동할 수 없는 공유 결합 물질들은 당연히 부도체가 됩니다.

그리고 이온 결합은 금속과 비금속이 결합하는 방식으로서, 보통 금속이 전자를 내어 놓고, 이 전자를 비금속이 가져가는 방식으로 금속과 비금속이 결합합니다. 소금이 바로 이온 결합 물질입니다.

금속 원소인 나트륨(Na)과 비금속 원소인 염소(Cl)가 결합하여 염화나트륨(NaCl)이 되었고, 우리는 이것을 소금이라 부릅니다.

2.8 분자

이 세상의 물질들은 원자의 결합이 기본이지만, 그렇지 않은 경우도 있습니다. 금속 결합 물질들과 이온 결합 물질들은 아니지만, 공유 결합 물질들은 원자와는 다른 성질을 가진 어떤 것이 기본 단위를 이루고 있습니다. 우리는 여기에 분자라는 이름을 붙였습니다. 가장 대표적인 분자를 고른다면, 당연히 지구 모든 생명체의 근본인 물을 들 수 있습니다. 물은 수소 원자 두 개와 산소 원자 하나가 공유 결합이라는 방식으로 결합된 분자입니다. 이런 식으로 실생활에서 접하고 있는 무수히 많은 물질들이 분자의 형태로 만들어진 다음에, 우리가 사용할 수 있는 물건의 형태로 형성됩니다.

원자 결합과 함께 이야기를 한다면, 금속 원자는 금속 결합을 하여, 금속 덩어리로 됩니다. 그러나 분자의 형태는 만들지 않지요. 금속 덩어리를 나누고 나누면, 마지막에는 금속 원자로 쪼개집니다.

이온 결합을 하고 있는 물질들 역시, 작게 나누어 가다 보면, 결국에는 이온을 이루고 있는 금속 원자와 비금속 원자로 나누어집니다. 분자로 나누어지지 않습니다. 소금을 나누면, 나트륨 원자와 염소 원자로 나누어질 뿐, 소금 분자라는 것은 없습니다. 그러면 소금을 어떻게 원자로 나눌까요? 물에 넣으면 됩니다. 소금의 화학명은 염화나트륨(NaCl)인데, 이것을 물에 넣으면, 나트륨 이온(Na^+)과 염소 이온(Cl^-)으로 나누어집니다. 실제로는 나트륨 원자와 염소 원자이지만, 나트륨 원자는 전자 하나를 염소 원자에 준 상태라서, 우리는 이들을 중성 원자와 구별하기 위하여 이온이라 부릅니다.

공유 결합을 하고 있는 원자들이 분자를 만듭니다. 질소 원자 두 개가 결합하여 질소 분자라는 형태로, 산소 원자 두 개가 결합하여 산소 분자라는 형태로 우리가 숨 쉬는 공기를 이루고 있습니다. 수소 역시 수소 원자 두 개가 결합하여 수소 분자의 형태로 존재합니다. 그리고 수소 분자와 산소 분자를 붙이면, 물 분자가 만들어집니다. 약간 이상하군요? 물은 수소 원자 두 개와 산소 원자 하나면 만들어지는데, 수소 분자 하나와 산소 분자 하나면, 수소 원자가 두 개 있고, 산소 원자 역시 두 개가 있으므로, 결합이 끝나면 산소 원자 하나는 '팽' 당하는 것일까요? 아닙니다. 훨씬 쉬운 방법이 있습니다. 수소 분자 두 개와 산소 분자 하나가 결합하면 되지요. 그러면 수소 원자 네 개와 산소 원자 두 개가 있게 되므로, 물 분자가 두 개 생겨납니다. 이 아름다운 생명의 식을 한 번 볼까요?

$$2\ [H_2] + 1\ [O_2] = 2\ [H_2O]$$

2.9 물질의 4 가지 상태

양성자와 중성자가 모여서 원자핵을 이루고, 다시 이 원자핵과 전자가 만나서 원자가 됩니다. 그리고 원자들이 결합하여 분자를 만듭니다. 볼 수 있고 만질 수 있는 형체를 우리는 물질이라 부르는데, 물론 눈에 보이지 않고 만져도 느껴지지 않는, 또는 만질 수조차 없는 것들도 있기는 하지만, 우리는 이런 존재들을 통틀어서 물질이라 하고 있습니다. 원자 또는 분자들이 합쳐지면 물질이 됩니다. 이제 비로소 현실 세계에 들어온 기분입니다. 그러나 물질이 별 특별한 위치를 차지하고 있지는 않아요.

물을 예로 들어볼까요? 우리는 날마다 몇 번씩 물을 마십니다. 물이라는 물질을 마시는 거지요. 진짜 그럴까요? 컵에 담겨져 있는 물은 과연 무엇일까요? 그것은 바로 물의 분자들입니다. 정확히 표현하자면, 수소 원자 두 개와 산소 원자 한 개가 단단히 결합되어 있는 형태인데, 우리는 이것을 물 분자라고 합니다. 그리고 이런 물 분자들 수십 억 개가 컵에 모여 있습니다. 수백 억 개일 수도 있겠지만, 숫자는 그리 중요하지 않으니까요. 물 분자들은 서로 어떻게 되어 있을까요? 서로가 서로를 꽉 붙들고 있을까요? 우리는 그렇지 않다는 것을 알고 있습니다. 물 분자들이 적당한 힘으로 서로를 끌어당기며 모여 있습니다.

그런데 물이라는 것은 참으로 다양한 형태로 변할 수가 있지요. 온도가 내려가면 물은 얼음이 됩니다. 온도가 올라가면 물은 수증기로 바뀝니다. 그런 다음 하늘로 올라가지요. 그리고 다시 땅으로 내려옵니다. 우리는 이것을 비라고 부르고, 겨울에는 얼어붙은 비가 내리는데, 이것의 이름은 눈이라고 합니다. 얼음이 엄청나게 많이 모여 있으면 빙산이라 하고, 이런 얼음이 흘러내리면 빙하라고 부릅니다. 또 공기 중에 있는 얼음의 결정은 빙정이라고 합니다. 겨울에 내리는 눈이 얼음의 결정이지요. 벌써 물의 이름만 해도 몇 가지나 됩니다.

과학에서는 공통된 성질을 모아서 집합을 만들고자 하는 경향이 있습니다. 그 결과 물질의 다양한 형태를 분석하여 물질의 기본적인 상태를 정의하였습니다. 얼음처럼 단단하고 그 모양이 일정하게 유지되는 물질의 상태를 고체 상태라 하였고, 물이나 비처럼 모양이 일정하지는 않지만, 어떤 그릇에 일정하게 담아둘 수 있는 상태를 액체 상태라 이름 붙였습니다. 수증기처럼 모양도 없고 흩어져 버리는 상태를 기체 상태로 하였습니다. 이렇게 하여 자연에 존재하는 물질의 3 가지 상태가 완성되었습니다.

그런데 위의 3 가지 상태가 아닌 상태가 또 있었습니다. 가장 쉽게 접할 수 있는 것이 바로 불입니다. 우리는 이것을 플라즈마 상태라고 부르기로 하였습니다. 플라즈마가 방출하는 전자기 파동(빛)

이 눈에 보이는 것이 불이라고 합니다. 불이 흔들리는 이유는 공기가 흔들리기 때문입니다. 우주 정거장에서 불을 피우면 동그란 공 형태가 된다고 하지요. 자연에서 볼 수 있는 플라즈마는 번개나 오로라입니다. 우리가 사용하고 있는 제품들 중에는 형광등이나 네온사인 등이 있습니다. 그리고 우주의 99 퍼센트는 플라즈마 상태라고 합니다.

고체, 액체, 기체 그리고 플라즈마를 우리는 어떤 기준을 가지고 나누었을까요?

물질을 이루고 있는 원자나 분자들이 서로 강하게 결합되어 있어서, 물질의 모양이 유지되는 상태가 고체입니다. 강하게 결합되어 있다는 말에 애매모호함이 있기는 합니다. "그래, 알겠어. 그런데 대체 얼마나 강하게 붙어 있는데?"라고 묻는다면, 솔직히 조금 곤란해지기는 합니다. 그래요. 많이 곤란해지겠지요.

그다음 원자나 분자들이 느슨하게 결합되어 있어서 스스로의 형태를 유지할 수 없는 그런 물질의 상태를 액체라고 합니다. 그렇지만 액체는 고체 물질에 담을 수가 있습니다. 고체로 벽과 바닥을 만들어 주면, 다른 곳으로 가지 않고 그 안에서 그대로 존재합니다.

기체는 원자나 분자들이 각각 따로 노는 상태입니다. 그래서 용기에 담아둘 수가 없지요. 그릇에 담으면 그리고 그릇이 완전히 닫혀 있지 않으면, 기체를 이루고 있는 원자나 분자들은 사방으로 흩어져 버립니다. 그러니까 기체라고 한다면 같은 종류의 원자나 분자들이 그냥 가까운 거리에 존재하는 상태입니다. 이것도 시간이 흐르면 흩어져 버리고, 그러면 더 이상 하나의 기체라고 부를 수가 없을 테지요. 기체를 하나의 공간에 있게 하려면 고체 물질로 완전히 꽉 막힌 상자를 만들어야 합니다. 그런데 우리는 앞에서 원자 구조에 대하여 알아보았습니다. 원자의 대부분은 진공으로서 원자의 내부는 텅 비어 있다고 하였습니다. 고체로 만든 상자 역시 원자로 이루어져 있어서, 우리가 보기에 완전히 밀봉을 하였다 하더라도, 그 상자의 벽 대부분은 텅 비어 있는 진공입니다. 그러므로 이 진공을 통과할 수 있을 정도로 작은 원자로 이루어진 기체라면, 그냥 벽을 통과해 버릴 것입니다. 가장 작은 원자? 바로 수소입니다. 그렇다고 해서 수소를 담아놓은 봄베에서 수소 기체가 무조건 새어 나온다는 것은 아닙니다. 봄베 속에 들어 있는 수소 분자들이 봄베의 벽을 이루고 있는 물질의 원자나 분자와 계속 충돌을 하다가, 우연히 진공 상태를 통과할 수 있도록 위치를 잘 잡은 수소 분자가 벽을 통과하여 밖으로 나올 수가 있겠지요.

기체는 각각의 원자나 분자들이 결합이 되어 있지는 않지만 그래도 원자의 상태는 유지하고 있습니다. 그런데 기체에 더욱 많은 에너지가 가해져, 그만 원자가 원자핵과 전자로 분리되는 상태를 플라즈마라 합니다. 그러므로 전체는 전기적으로 중성일지라도, 플라즈마는 양전기 상태인 원자핵과 음전기 상태인 전자가 뒤섞여 있게 됩니다. 태양과 같이 활활 타는 별들이 바로 플라즈마입니다. 우주에서 빛과 열을 내고 있는 모든 별들의 상태가 플라즈마입니다. 그러므로 우주의 거의 대부분은, 99 퍼센트는 플라즈마 상태입니다.

영화 '밴드 오브 브라더스(Band of Brothers)'를 보면, 아마 6화로 기억되는데, 위생병 유진 로가 치열한 전투 중에 참호를 돌아

다니며, “플라즈마 남은 사람?” 하고 외치는 장면이 나옵니다. ‘총알이 빗발치고, 전우들은 쓰러지는 와중에 왜 그는 플라즈마를 찾을까?’ 하는 의문을 가지며 영화를 보았던 기억이 납니다. 나중에 의사에게 물어보았더니 딱 한 마디를 하더군요.

“혈장.”

우리 인간은 고체 위에서 살고 있으며 액체인 물과 기체인 산소를 필요로 하므로, 온통 플라즈마 상태인 우주에는 인간이 살만한 곳이 거의 없다고 봐야 될 것입니다. 물론 우리는 플라즈마도 필요합니다. 왜? 빛과 열이 필요하니까.

2.10 빛

세상을 이루는 물질의 기본은 원자라고 하였습니다. 그러나 보다 더 근본적인 존재를 찾는다면 아마 빛이라는 생각이 듭니다. 이 세상은 빅뱅 후 빛으로부터 시작했으니까요. 그러면 과연 빛이란 무엇일까요? 답은 간단합니다. 빛은 빛입니다. 흔히들 빛은 '전자기파이다.'라고들 하는데, 이 말도 맞기는 하지만, 실제로 빛과 전자기파는 같은 것을 부르는 두 가지의 다른 이름일 뿐입니다.

빛은 전자기파이다.
전자기파와 빛은 같은 것이다.
고로 빛은 빛이다!

우리는 어떤 존재에 대하여 설명하고자 할 때, 무엇인가 눈에 그려지는 모습으로 보고자 합니다. 그래서 물리학은 입자라는 개념과 파동이라는 개념, 이렇게 두 개의 서로 다른 그림을 가지고, 이 세상의 존재에 대하여 설명을 하고자 하였습니다. 그리고 이런 생각은 많은 물리학자들이 서로 편을 나누어 싸우게 만들었습니다. 다른 모든 존재들도 그러하지만, 빛 역시 입자요 파동입니다. 불행히도 아직까지 어느 누구도 입자와 파동을 하나로 합친 개념은 만들어내지 못했습니다. 그럼 이제 빛의 성질을 알아볼까요?

빛은 직진하는 성질을 가지고 있습니다. 조금 더 멋지게 표현하면, 빛은 직진할 확률이 가장 큽니다. 직진 안 할 수도 있습니다. 왜? 그거야 빛 마음이지요.

빛은 반사하는 성질도 가지고 있습니다. 거울을 보면 반사하는 빛을 볼 수 있습니다. 반사하는 빛은 입사각과 반사각이 같도록 반사한다고 합니다. 아니요. 빛은 입사각과 반사각이 같도록 반사할 확률이 가장 큽니다.

반사는 빛이 다른 무엇인가와 만났을 때 일어나는 현상입니다. 그런데 빛은 반사를 하기도 하지만, 그 매질 속으로 들어가기도 합니다. 그리고 이때 굴절이 일어납니다. 빛의 진행 경로가 꺾입니다. 물속에 들어있는 젓가락이 꺾여 보이는 현상이 바로 빛의 굴절입니다. 여기에는 우리의 뇌도 한 몫을 하고 있습니다. 물속에 있는 젓가락이 결코 꺾여 있지는 않지만, 우리의 뇌는 물속의 젓가락에서 나온 빛이 직진한다고 인식을 합니다. 그 결과 우리는 빛의 굴절을 발견할 수 있었습니다.

빛의 입자성을 가장 잘 보여주는 현상이 그림자입니다. 광자가 닿은 곳은 밝고, 광자가 닿지 않은 곳은 어두워서 그림자가 생기는 아주 확실한 증명입니다. 그런데 기술이 발달하여 그림자에 대하여 자세히 볼 수 있게 되었습니다. 그랬더니 그림자의 가장자리 부근에서 희뿌연 현상을 발견하였습니다. 빛이 온전히 입자의 성질만 가지고 있다면, 그림자의 가장자리가 깨끗해야 할 텐데 그렇지가 않았던 것입니다. 빛이 사물의 가장자리에서 길을 돌아서 갔다는 뜻입니다. 바로 파동의 성질로서, 우리는 이 현상을 회절이라 부릅니다. 그러므로 그림자는 빛의 입자성과 파동성을 전부 보여주고 있습니다.

빛은 서로 만나면 간섭 현상도 일으킵니다. 주파수가 서로 섞여서 또 다른 주파수를 형성합니다.

그리고 빛의 또 다른 독특한 성질에 편광이라는 것이 있습니다. 빛은 전자기파라고 하였습니다. 전자기파는 전기장과 자기장으로 이루어져 있습니다. 그런데 전기장과 자기장 역시 두 개의 성분, 예를 들자면 z 방향으로 진행하는 전기장은 x 성분과 y 성분을 가지고 있습니다. 여기에서 x 성분과 y 성분이 서로 위상차를 가진다고 해 봅시다. 그러면 전기장이 그대로 직진할 수도 있고(선형), 회전을 할 수도 있습니다. 회전도 왼쪽으로 할 수도 있고, 오른쪽으로 할 수도 있습니다. 아울러 회전하는 모양이 원을 그릴 수도 있고, 타원을 그릴 수도 있습니다. 이거 너무 복잡해 보입니다. 사실 광학을 배울 때, 이 부분이 상당히 신경 쓰이는 부분인 것은 사실입니다.

전자기파는 전기장과 자기장이 서로 수직을 이루면서 진행합니다. 전기장이 선형(회전하지 않는 전기장)이면 자기장 역시 선형이며, 전기장이 회전을 하면, 자기장 역시 회전을 하겠지요. 빛은 일반적으로 전기장과 자기장이 타원 모양으로 빙글빙글 돌면서 진행하고 있습니다. 회전을 하지 않거나 원형으로 회전을 하는 경우는 전기장이 두 성분이 일정 조건에 맞아야만 일어납니다. 드문 현상이지요. 그런데 우리는 매질을 사용하여, 약간 특별한 성질을 가지는 유리나 빛이 잘 투과할 수 있는 돌 같은 매질을 사용하여 빛의 편광을 바꿀 수 있습니다.

빛은 질량이 '영'입니다. 에너지 덩어리인 광자로 이루어져 있습니다. 파동성도 가지고 있습니다. 그리고 우주에서 가장 빠르게 움직입니다. 과연 빛이란 무엇일까요?

제3장 세상의 규칙

3.1 많은 규칙들

물리학은 세상 만물의 기본이 무엇인지 찾아내었습니다. 바로 원자였지요. 그리고 원자들이 모여서 만들어진 세상은 과연 어떻게 움직이는지를 찾아내고 있습니다. 지금도!

우리는 이런 내용들을 원리니 법칙이니 하는 이름을 붙여서 부르고 있지만, 여기에서는 단순히 '규칙'이라고 하겠습니다. 실제로 자연은 원래부터 그러하게 되어 있는 것을, 인간들이 발견한 내용들을 가지고 거창하게 이름을 붙이면, 아마 자연이 그리 좋아할 것 같지가 않군요.

아주 단순히 말하면, 물리학의 규칙들은 원자의 성질을 표현한 것들입니다. 원자들이 모인 분자들의 성질도 포함됩니다. 여기에 더하여 원자를 이루고 있는 양성자, 중성자 그리고 전자의 성질이며, 양성자와 중성자를 이루는 소립자들의 성질입니다. 그리고 빛의 성질도 포함해야 합니다. 빛은 원자를 이루고 있는 성분은 아니나, 원자에서 빛이 나옵니다. 간단한 예를 들면, 레이저가 있습니다. 아울러 빛은 우주의 기준입니다. 우리의 우주는 빛의 절대적인 어떤 특성

위에서 이루어져 있답니다.

물리학이 발견한 자연 규칙들 중, 가장 기본적인 세 가지 숫자가 있습니다. 상수라고도 합니다. 그리고 이 세 상수로 이루어진 규칙들이 자연의 기본 규칙이 되겠습니다. 세 상수는 다음과 같습니다.

빛의 속도(c), 플랑크 상수(h) 그리고 중력 상수(g).

3.2 특수상대성이론

먼저 첫 번째 상수인 광속에 대해서입니다.

아인슈타인이 이렇게 제안했습니다. '물리법칙은 모든 관성 기준계에서 같고, 빛의 속력은 항상 일정하다!'

물리법칙이 어디에서나 같다는 말은 그런대로 어렵지 않습니다. 정지해 있는 나와 달려가고 있는 나에게 다른 물리 법칙이 적용된다면 어떻겠습니까? 만약 그렇게 된다면, 이 세상은 뒤죽박죽이 되고 말 것입니다.

그런데 빛의 속력은 어디에서나 같다는 말은 참으로 받아들이기 어려웠습니다. 정지해 있는 내가 측정한 빛의 속력과, 움직이고 있는 내가 측정한 빛의 속력이 같다면, 이걸 믿을 수 있을까요? 내가 달리는 속력의 효과는 대체 어디로 사라져 버린 걸까요? 위의 두 가설이 나중에 특수상대성이론이라고 불리게 된 내용입니다. 왜 그런지 증명하는 것은 물리학 전공 서적을 찾아보거나, 인터넷에 보면 많이 있습니다.

왜 광속은 항상 누구에게나, 어떤 관성계에서나 같을까요? 달려가는 내가 플래시를 켜면, 이 플래시에서 나오는 빛의 속력은, 나의 속도가 더해져 광속을 넘어야 될 것 같은데 말입니다. 그건 이렇습니다. 이 세상은, 이 우주는 모든 것들에게 광속은 항상 같게 보이도록 만들어져 있다는 것입니다. 이 점이 아주 중요합니다. 광속이 모든 것의 기준인 셈이지요. 그 결과 움직이는 물체의 시간은 느리게 가고, 움직이는 물체의 길이는 또는 그것이 속한 공간은 짧아지며, 움직이는 물체의 질량은 증가하게 됩니다.

어떤 것도, 어느 누구도 세상의 중심이 될 수 없으며, 세상의 기준이 될 수 없다는 것입니다. 그러나 다르게 생각할 수도 있습니다. 개인 한 명 한 명, 벌레 한 마리 한 마리 그리고 물체 하나하나가 모두 자기 자신만의 세계에 있습니다. 모든 만물은 자신이 스스로의 기준입니다. 그리고 이 모든 만물의 기준은 빛입니다. 특수상대성이론은 그리고 물리학은 우리에게 이렇게 말하고 있습니다. 나 자신의 시간과 바로 옆에 있는 다른 사람의 시간은 다르게 흘러갑니다. 내가 존재하는 공간과 다른 사람이 존재하는 공간은 길이가 다릅니다. 완전히 똑같이 만들어진 무엇인가가 두 개 있다고 하더라도, 이 둘의 질량은 달라집니다. 세상에는 같은 것이 하나도 없으며 나는 이 우주에서 유일무이한 존재인 것입니다. 나는 나만의 시간과 공간을 가지고 있는 것입니다. 그러면 우주는 왜 이렇게 만들어졌을까요? 글쎄요. 아직 아무도 그 해답을 찾지는 못했습니다. 어쩌면 인류가 더 철이 들면 찾을 수 있을지도 모르겠습니다. 시간과 공간은 절대적인 양이 아니고, 항상 변화하는 양입니다. 광속이 일정하게 유지되도록 변화하는 양입니다. 그러므로 시간과 공간은 휘어져 있는 셈이지요. 공간이 휘어져 있다는 의미는, 길이가 달라질 수 있다는 말이고, 시간이 휘어져 있다는 것은 시간이 느리게 갈 수 있다는 의미입니다.

지구 궤도상에서 지구 둘레를 공전하고 있는 인공위성의 속력은 아주 빠릅니다. 그래서 여기에서는 상대론적인 효과가 크게 발생하여 우리 생활에 영향을 줄 정도의 시간 지연이 일어납니다. 우리가 스마트폰으로 전화를 걸 때, 인공위성에 일어난 시간 지연을 계산해서 보정해주지 않는다면, 전화 신호들은 전부 엉켜 버릴 것입니다. 그리고 위성이 보내는 GPS 신호 역시 시간 보정을 하지 않으면, 우리가 보는 내비게이션 시스템에서 자신의 위치는 엉뚱한 곳으로 표시될 것입니다. 우리는 벌써 특수상대성이론을 생활에 이용하고 있습니다.

광속은 초속 삼십만 킬로미터입니다. 1초에 지구를 일곱 바퀴 반을 돈다고 하지요. 나의 속도가 점점 빨라질수록, 나의 시간은 느리게 갑니다. 그리고 나의 질량도 점점 커져 갑니다. 내 속도가 광속에 가까워질수록, 내 시간은 더욱 느려지지만, 내 질량은 어마어마하게 커져 갑니다. 결국 나는 결코 광속에 도달할 수가 없습니다. 내 질량이 무한대가 되어야 하니까요.

이것을 빛에 적용해 볼까요? 질량은 없고 에너지만 있는 빛이 광속으로 달리고 있습니다. 시간이 무한대로 느려집니다. 시간이 무한대로 느려진다는 것은, 시간이 흐르지 않는다는 것이지요. 빛은 시간이 흐르지 않습니다. 즉 변화가 없습니다. 광자는 광자 그대로 영원히 존재합니다. 가끔씩 두 개의 광자가 입자-반입자 쌍으로 변하는 것만 빼고.

생각을 한 번 해 볼까요? 10 억 광년 떨어진 별에서 오는 빛을 우리는 지금 밤하늘에서 보고 있습니다. 어쩌면 지금은 그 별이 존재하지 않을지도 모릅니다. 그렇지만 10 억 년 동안 우주를 지나서 우리 눈에 들어온, 바로 그 10 억 년 전 별의 빛은, 우주를 지나오는 동안 변했을까요? 만약 변했다면 우리가 지금 보고 있는 별의 모습은 원래의 별의 모습이 아닐 것입니다. 하지만 우리는 그렇지 않다는 사실을 잘 알고 있습니다.

3.3 양자역학

두 번째 상수인 플랑크 상수를 봅시다.

먼저 흑체라는 것을 가정해야 하는데, 흑체란 검은 물체입니다. 물리학에서는 흑체를 전자기파의 전체 스펙트럼을 전부 흡수하는 물체라고 가정했습니다. 그러나 흑체 역시 흡수만 하는 것이 아니라 방출도 합니다. 계속 먹기만 하고 배출을 하지 않으면 어떻게 되겠습니까? 비슷한 이치입니다. 사람들은 실험적으로 가능한 흑체를 만들었습니다. 그리고 이 흑체가 방출하는 흑체복사의 스펙트럼을 측정하였습니다. 그랬더니 이상한 결과가 나왔습니다. 지금까지의 이론으로는 어느 누구도 이 현상을 설명할 수가 없었던 것입니다. 그때 한 명의 과학자가 이 스펙트럼과 들어맞는 수식을 만들어 보기로 하였습니다. 그리고 성공을 하였습니다. 그는 빛이 '양자'라는 일정한 덩어리로만 에너지를 주고받는다는 가정을 하였습니다. 그리고 빛의 에너지는 빛의 진동수에 비례함이 밝혀졌습니다. 이제 빛의 에너지와 빛의 진동수 사이에는 비례상수가 하나 필요하게 됩니다. 이 상수의 이름은 제안자의 이름을 따서 플랑크 상수로 정해

졌습니다. 하지만 정작 본인은 양자라는 개념을 정말로 믿지는 않았던 모양입니다. 빛의 양자라는 것을 가정하면 흑체복사를 훌륭히 설명할 수 있지만, 이런 개념 자체가 없었던 시절이므로, 자신도 이것을 인정할 수가 없었던 것이지요. 그런데 이 양자라는 개념이 정말로 대단한 것이었습니다. 드디어 양자역학이라는 새로운 물리학 분야가 탄생했습니다. 참고로 말하자면 현대 문명의 놀라운 발전은 양자역학에 기반을 하고 있습니다.

그러면 양자가 무엇인가 이야기를 해 보아야겠지요. 양자란 말 그대로 양으로 된 어떤 기본입니다. 자연수를 생각해 볼까요? 1 다음에는 2가 옵니다. 2 다음에는 3이 옵니다. 그러나 1.3 이라든지 2.7은 자연수에 없습니다. 모든 자연수는 오직 1의 몇 배의 양으로만 존재합니다. 바로 양자가 이런 것입니다. 그리고 양자는 자연수 개수로만 다른 것들과 상호작용을 합니다. 양자를 3개 줄 수는 있지만, 양자를 4.5개 줄 수는 없습니다. 양자는 쪼갤 수 없는 것이니까요. 이런 개념에 바탕을 두고 출발한 역학이 바로 양자역학입니다.

한 번 생각을 해 볼까요? 지금 우리의 눈앞에 계단이 있습니다. 나는 지금 계단 바로 아래에 서 있습니다. 나는 계단을 하나씩 올라갑니다. 그렇지요? 하지만 계단과 계단의 중간에 설 수는 없습니다. 계단이 바로 양자화 되어 있는 것입니다. 에너지가 진동수에 비례하는 빛 역시 에너지 양자로 이루어져 있습니다. 광자라고 해도 됩니다. 진동수가 높아서 에너지가 큰 빛은 더 많은 에너지를 가지고 있는 광자들로 이루어져 있습니다. 그러므로 진동수가 다른 빛,

빨강과 파랑은 서로 다른 에너지를 가지는 광자들인 셈입니다. 파랑의 광자가 빨강의 광자보다 에너지가 더 크지요.

전자의 전하량도 양자화 되어 있습니다. 전자를 쪼갤 수는 없으니까, 전자의 개수는 항상 자연수입니다. 그러므로 전자들이 모여 있을 때, 총 전하량 역시 하나의 전자의 전하량의 자연수 배입니다. 이것이 바로 양자화 되어 있다는 것입니다. 예외가 있다면 쿼크의 전하량은 (1/3) 또는 (2/3)와 같은 분수로 표현됩니다. 물론 음의 전하를 가진 쿼크도 있습니다. 쿼크의 전하량이 분수인 것은 전자의 전하량이 정수로 되어 있는 기존의 물리학 체계에 맞추기 위해서입니다. 만약 처음에 쿼크의 전하량을 1로 했다면, 전자의 전하량은 (-3)이 되었을 겁니다. 어찌 생각하면 자연이 양자화 되어 있다는 것은 당연한 것인지도 모릅니다. 우리는 실수를 배우면서 실수와 실수 사이에는 무수한, 셀 수 없이 많은 실수가 존재한다는 것을 알았습니다. 그러나 진짜 물리학의 세계는 실수가 아니라 자연수로 되어 있었습니다. 재미있는 상상을 한 번 해 볼까요?

여기에 사과가 한 개 있습니다. 크기는 상관없습니다. 사과가 몇 개 있을까요? 분명히 사과는 한 개 있습니다. 그럼 이제 사과를 두 쪽으로 나누어 볼까요? 사과는 몇 개 있을까요? 사과는 두 개 있습니다. 절반씩 나누어진 사과가 두 쪽이므로. 어떤 사람은 하나의 사과라고 주장할 수도 있겠지요. 배가 고픕니다. 나누어진 사과 한 개를 먹었습니다. 이제 사과는 몇 개 있을까요? 설마 2분의 1개라고 하지는 않겠지요? 사과는 한 개 남아 있습니다. 2분의 1이라는 것은 원래 크기의 절반이라는 뜻이지 개수가 아니니까요.

아까 계단 이야기로 다시 돌아가 볼까요? 계단과 계단 사이에 내가 존재할 수 없다고 하였습니다. 원자핵의 둘레를 돌고 있는 전자들의 궤도가 바로 이 계단과 똑같습니다. 전자는 계단에만 존재할 뿐, 즉 정해진 궤도에만 존재할 뿐, 궤도와 궤도 사이의 공간에는 존재할 수 없습니다. 원자의 전자 궤도 역시 양자화 되어 있습니다. 양자라는 개념을 마음으로 이해하면 참 좋겠습니다.

양자역학은 아주 작은 세계에서의 물리적 현상을 설명하는 내용입니다. 그리고 확장하면 우리가 눈으로 볼 수 있고 만질 수 있는 이 거시적 세계에서도 들어맞는 내용입니다. 우리가 예전에 알고 있던 고전물리학은 양자물리학의 특수한 경우입니다. 즉 양자역학적 효과가 너무 작아서, 이것을 무시해도 별 문제가 생기지 않는 것이 바로 고전물리학이었습니다. 세상은 정수에 기초하여 구성되어 있었습니다. 즉 에너지는 양자라는 기본 양의 정수배로만 가능합니다.

3.4 일반상대성이론

세 번째 상수인 중력상수는 엄밀히 말하면 상수가 아닙니다. 왜냐하면 공간에 따라 조금씩 다른 수치를 보이기 때 문입니다. 지구 표면 위에서도, 위치가 달라지면 중력 상수도 달라집니다. 그러나 우리는 일반적으로 중력상수를 9.8이라는 하나의 숫자로 사용하고 있습니다. 그러면 중력이란 무엇일까요? 질량을 가진 모든 물체가 서로 끌어당기는 힘이라고 합니다.

그런데 일반상대성이론에서는 중력을 시공간의 휘어짐이라고 합니다. 중력을 힘의 개념이 아니라, 우주의 기하학적인 형태로 묘사하고 있지요. 평평하고 네모난 고무막 가운데에 유리구슬을 하나 놓았습니다. 그러면 구슬이 고무막을 누르게 됩니다. 왜? 중력 때문에! 그리고 물을 고무막의 가장자리에 살짝 흘리면 어떻게 될까요? 물은 유리구슬 때문에 푹 들어간 고무막의 가운데로 흘러갈 것입니다. 지금 이 경우에는 중력을 설명하기 위하여 다시 중력을 끌어다 쓰고 있으므로 문제가 있습니다. 그럼 여기에서 중력이라는 요소를 제거하겠습니다. 평평하고 네모난 고무막 가운데에 유리구슬을 하나

놓았습니다. 그런데 유리구슬 때문에 고무막의 표면이 휘어져 들어갔습니다. 즉 공간이 휘어진 것입니다. 왜? 이건 유리구슬의 질량 때문에 고무막이라는 공간이 휘어진 것입니다. 질량이 존재하면 공간이 휘어지게 됩니다. 그리고 여기에 물을 흘리면, 물방울은 유리구슬 쪽으로 흘러갈 것입니다. 그리고 우리는 이 상태를 보고, 물방울은 중력 때문에 흘러갔다고 말하게 됩니다. 두 가지 경우의 차이를 아시겠지요? 그리고 일반상대성이론에서는 질량이 있으면 공간만이 휘어지는 것이 아니라 시간도 느리게 갑니다. 즉 시공간이 질량 때문에 휘어지게 됩니다. 그리고 빛도 이 휘어진 시공간을 따라서 진행합니다. 우리는 휘어진 시공간을 볼 수가 없기 때문에, 휘어져 진행한 빛을 직진하는 빛으로 인식합니다. 그래서 태양에 가려서 실제로는 보이지 않는 별의 빛이, 태양으로 인한 시공간의 휘어짐 때문에 우리 눈에 보이게 됩니다.

3차원 공간에 살고 있는 우리의 경우를 예로 들어 보겠습니다. 육면체의 방 안에 내가 있습니다. 방바닥은 평평합니다. 이제 이 방바닥을 기울여 보겠습니다. 방바닥은 2차원적으로 기울어집니다. 그리고 이 기울어진 방바닥에 물체를 놓으면, 물체는 높은 곳에서 낮은 곳으로 이동합니다. 중력이 생겼습니다. 그런데 우리가 살고 있는 우주는 질량이 존재하게 되면, 질량의 주위 공간이 3차원적으로 기울어지게 됩니다. 지구가 있으면, 지구의 둘레에 있는 모든 것들은 지구 쪽으로 굴러 오게 됩니다. 지구 질량이, 또는 지구라는 존재가 3차원적인 경사를 만들어내었고, 그 결과 우리는 지구 위에서 지구의 중력을 느끼면서 살고 있습니다. 2차원적인 경사는 3차원

공간에서 만들어집니다. 그러므로 3차원적인 경사가 존재하는 우주는 최소한 4차원은 되어야 하겠지요? 여기에 시간을 더하면 우주는 5차원이 됩니다. 현재의 물리학에서는 우주가 10 내지 11차원으로 되어 있다고 합니다. 이것에 관한 내용은 이 책의 범위를 넘어가므로 생략하겠습니다.

3.5 불확정성 원리

지금까지 세 가지 상수에 대한 자연의 규칙에 대해서 이야기했습니다. 그리고 이 세상의 기본은 원자라고 하였으나, 물리학에서는 이것을 단순화시켜서 입자와 파동이라는 존재를 가지고 세상의 규칙을 설명하려 합니다. 입자와 파동은 서로 다른 개념이기는 하지만, 꼭 서로 다른 개념이라고 말할 수 없는 그 무엇인가가 있습니다. 그럼 입자와 파동에 대해서 알아볼까요?

파동은 운동이나 에너지가 전달되는 현상입니다. 일반적으로 파동은, 파동의 전달을 매개하는 매질을 필요로 하지만, 전자기파라는 파동은 매질 없이 스스로 전달되므로, 파동은 매질과 상관없이 존재하는 자연의 현상입니다. 파동은 보통 단순한 형태를 가지고 있지만, 아주 찌글찌글한 파동도 존재합니다. 그런데 수학적으로 단순한 형태의 파동을 아주 많이 겹치면 찌글찌글한 파동도 표현할 수가 있습니다. 즉 모양이 아주 불규칙해 보이는 파동일지라도 그 내면에는 간단한 형태의 파동들이 잔뜩 중첩되어 있다는 것입니다. 게다가 이렇게 하면 한 곳에 집중된 파동, 즉 웨이브 패킷을 만들어 낼 수도 있으며, 양자역학에서는 이것을 가지고 공간상에 존재하는 입자를 설명할 수 있습니다. 이것이 가능한 이유는, 모든 것이 입자성과 파동성을 동시에 가지고 있기 때문입니다.

우리는 원자의 구성 요소인 전자를 입자로 표현하지만, 전자 역시 파동성을 가지고 있습니다. 뿐만 아니라 파동이라 생각되는 빛 역시 광자라는 입자로 이루어져 있습니다. 아주 작은 양자역학적 입자는 웨이브 패킷 안 어딘가에 있습니다. 그러므로 웨이브 패킷의 폭이 좁으면 입자가 움직일 수 있는 공간이 작아지고, 따라서 입자의 위치에 대하여 좀 더 확실히 알 수가 있어집니다. 우리는 이것을 물리학적으로 입자의 위치에 대한 불확실성이 작아졌다라고 합니다. 반대로 웨이브 패킷의 폭이 커지면, 입자의 위치에 대한 불확실성이 커지겠지요. 그런데 폭이 좁은 웨이브 패킷을 만들기 위해서는 서로 다른 진동수를 가지는 더 많은 파동을 중첩해야만 합니다. 이건 수학적으로 그래야만 한다는 뜻입니다.

파동의 운동량은 파장에 반비례하고, 진동수에 비례합니다. 그렇기 때문에 폭이 좁은 웨이브 패킷을 만들려고, 서로 다른 진동수를 가지는 많은 파동을 합할수록, 즉 진동수의 종류가 많아질수록 운동량의 종류도 많아지고, 그만큼 운동량의 불확실성은 커지게 됩니다. 입자에 대하여 위치 측정의 불확실성을 줄이기 위하여 더 많은 파동을 합함으로써 결국 운동량 측정의 불확실성이 증가하고 말았습니다. 역으로 운동량 측정의 오차를 줄이기 위하여, 더 적은 파동을 합하게 되면, 웨이브 패킷이 넓어지게 되고, 이것은 입자의 위치에 대한 오차를 증가시키게 될 것입니다. 이것이 물리적으로 위치라는 양과 운동량이라는 양 사이에 존재하는 불확정성입니다. 불확정성 원리는 우리가 어떤 물리량을 측정할 때, 측정기구나 방법 때문에 생기는 그런 오차가 아니라, 자연의 입자에는 원래부터 불확정성이 내재해 있다는 뜻입니다. 그럼으로써 모든 만물과 이 만물이 있는 우주 역시 불확정성이 포함되어 있습니다. 단지 그 양이 너무 작아서 우리가 느끼지 못할 뿐입니다.

불확정성 원리가 의미하는 내용은, 인간의 이성에 한계가 있다는 점입니다. 과학과 기술이 아무리 발전하더라도, 인간은 결코 불확정성이 내재된 두 개의 물리량에 대하여, 동시에 두 양을 정확히 알 수가 없습니다. 왜 그런지는 몰라도, 우리는 이런 세상에 살고 있습니다.

3.6 시간

우리까지 포함하여 세상의 모든 만물은 시간의 흐름 속에 살고 있습니다. 시간이 흐르면 사람은 늙고, 물건은 낡고 그리고 물은 높은 곳에서 낮은 곳으로 흐릅니다. 그 어느 누구도 그리고 그 어떤 무엇도 이 시간의 지나감을 피하지 못합니다. 시간은 우주의 처음과 함께 시작되었습니다. 그전에는 시간이 없었을 거라고 합니다. 우주가 끝날 때, 아마 시간도 끝나게 되겠지요.

그런데 이렇게 생각을 해 볼까요? 시간이 흐르기 때문에 어떤 변화가 오는 것이 아니라, 어떤 변화가 생기는 것이 곧 시간이 흘러가는 것이라고. 물은 높은 곳에서 낮은 곳으로 흐릅니다. 우리는 이것에 열역학 제 2 법칙이라고 이름 붙였습니다. 이것은 증명된 법칙이 아니고, 경험에서 나온 법칙입니다. 그리고 되돌릴 수 없는 현상입니다. 물은 절대로 낮은 곳에서 높은 곳으로 흘러가지 않지요. 왜 그럴까요? 더 안정된 상태로 되고자 하기 때문입니다. 물이 들어 있는 컵에 가령 파란 잉크를 한 방울 떨어뜨리면, 컵의 물 전체가 파란색으로 되겠지요. 엔트로피(무질서도)는 항상 증가하기 때문입니다. 열역학 제 2 법칙을 엔트로피 법칙이라고도 하지요. 물속에 퍼져 있는 파란색 잉크들이 전부 다시 모일 수가 있을까요? 만약 낮은 곳의 물이 높은 곳으로 흘러가고, 파란 잉크가 다시 한 방울로 모인다면, 바로 이것이 과거로 가는 게 아니겠습니까? 시간이 되돌려진 것입니다. 시간은 항상 한 방향으로만 흐르는데, 이것은 열역학 제 2 법칙의 방향이 항상 한 방향이기 때문입니다. 엔트로피의 화살이 뒤집어진다면, 시간의 화살도 뒤집어지게 되겠지요. 변화를 거꾸로 돌릴 수는 없으므로, 우리는 과거로 갈 수 없습니다.

재미있는 상상을 하나 해 볼까요? 우주 어딘가에 -이왕이면 지구 근처이면 좋겠지요. - 인간의 역사가 기록된 책이 있어서, 어떤 특별한 장치(우리는 이런 기계에 타임머신이라는 멋진 이름을 붙였답니다.)를 이용하여 자기가 보고자 하는 페이지를 방문할 수 있다면 어떨까요?

물체가 빠르게 움직이면 시간이 느려진다고 합니다. 빠르게 움직이면 천천히 변화하게 됩니다. 달리기가 이런 이유로 건강에 좋은 것일까요? 설마 그럴 리가요. 물체의 속도에 관계없이 빛의 속도가 항상 일정하게 되도록 하기 위하여 시간이 휘어지는 것입니다. 그리고 중력이 강하면 강할수록 시간은 느려진다고 합니다. 시간은 누구에게나 어디에서나 똑같이 흘러가지 않고, 경우에 따라 다르게 흘러갑니다.

[벤저민 버튼의 시간은 거꾸로 간다.]라는 영화를 보셨는지요? 인간의 삶이 그런 식이어도, 아마 지금의 모습과 별로 다르지 않을 것 같습니다.

3.7 네 종류의 힘

물리학에는 아주 많은 물리적 개념들이 있습니다. 이것들을 전부 여기에 열거할 수는 없습니다만, 물리적 현상에 있어 가장 기본이 되는 개념을 고른다면, 아마 힘이 되지 않을까 합니다. 영어로는 'Force'라고 합니다. 현실 세계에서 힘을 말할 때, 주로 'Power'라는 단어를 사용합니다만, 물리학에서는 다릅니다. 물리학에서 파워의 의미는 '일률'입니다. 그러면 힘을 비롯하여 이런 관계들에 대한 물리적 내용을 잠깐 정리해 볼까요?

여기에 물체가 하나 있습니다. 질량을 m(Mass)이라 하겠습니다. 물체는 정지해 있는데, 힘을 가하면 움직입니다. 물체가 움직인다는 것은 물체의 속도(시간당 변한 위치)가 변한다는 뜻이고, 속도가 변한다는 것은 가속도(시간당 변한 속도)가 있다는 뜻입니다. 힘과 질량과 가속도의 관계에 대한 식이 있습니다.

$\vec{F} = m\vec{a}$ (힘 = 질량 곱하기 가속도).

여기서 한 가지 짚고 넘어가야 할 점이 있습니다. 물체에 힘을 가한다는 것은, 물체에 계속해서 힘을 준다는 뜻입니다. 처음에만 물체에 탁 하고 힘을 주고 나서, 그다음에는 팔짱만 끼고 있는 것이 아닙니다. 힘이 '영'이면, 가속도도 '영'이 되고, 물체의 속도는 변하지 않게 됩니다. 이것을 등속 운동이라 하는데, 등속 운동은 물리적으로 별 의미가 없습니다. 즉 등속 운동이라는 현상은 물체가 아무런 변화도 겪지 않는다는 것이며, 물리적으로 아무런 일도 일어나지 않았습니다. 위의 운동 방정식이 의미가 있으려면, 힘을 물체에 계속 주어야 합니다. 그리고 물체에 힘을 가해서 물체가 움직였다면, 분명히 물체는 어느 정도의 거리를 이동하였을 겁니다. 이때 물리적으로 힘이 '일(Work)'을 하였다고 합니다.

$$W = \vec{F} \cdot \vec{S} \text{ (일= 힘 곱하기 이동거리).}$$

마찬가지로 힘이 '영'이면 일도 '영'이 됩니다. 그리고 물체가 이동하지 않으면, 역시 일은 '영'이 됩니다. 이제 일을 하는데 걸리는 시간을 생각한다면, 일률이라는 개념이 나오게 됩니다.

$$P = W/t \text{ (일률 = 일 나누기 시간).}$$

이것이 힘과 일과 일률의 관계였습니다.

숫자를 가지고 하면 이해에 도움이 될 수도 있으므로, 생활에서 예를 들어 보겠습니다. 형광등 100 와트짜리가 있습니다. 와트는 일률의 단위입니다. 이 형광등은 1 초에 100 주울의 일을 합니다(1 주울 = 1 와트 곱하기 1 초). 다시 말하면 1 초에 100 주울의 에너지를 소비합니다. 주울은 일의 단위이며 에너지의 단위입니다. 단위가 같으므로, 눈치를 채셨겠지만, 일과 에너지는 같은 개념입니다. 100 주울 하면 체감하기가 힘들지만, 100 주울은 24 칼로리와 같다고 하면, 쉽게 이해됩니다(1 주울 = 0.24 칼로리). 한국 성인의 하루 필요 열량이 2,000 ~ 2,700 킬로칼로리 정도라고 합니다. 그러면 100 와트 형광등을 얼마나 켜 놓으면, 사람의 하루 필요 열량만큼 에너지를 소비할까요?

계산의 편의를 위하여 하루 필요 열량을 2,400 킬로칼로리라 하고, 이것을 24 칼로리로 나누면? 십만이 나옵니다. 100 와트짜리 형광등이 십만 초 동안 켜져 있으면, 내가 하루에 필요로 하는 에너지를 소비하는 셈입니다. 십만 초는 약 27. 8 시간입니다. 하루는 24 시간이므로, 100 와트 형광등과 내가 비슷하게 에너지를 소비하는군요. 빈 방에 형광등 하나 켜 놓으면, 사람 한 명이 쓰는 에너지를 날려버리게 됩니다.

물리학에서는 세상을 움직이는 힘에 대하여 연구를 하였고, 4 가지 힘을 찾았습니다. 나열하자면, 중력, 전자기력, 강한 핵력(강력) 그리고 약한 핵력(약력)입니다.

중력은 질량을 가진 물체들이 서로 끌어당기는 힘입니다. 중력의 크기는 물체들의 질량에 비례하고, 물체들이 떨어져 있는 거리의 제곱에 반비례합니다. 제곱에 반비례한다는 것에 대하여 생각을 해볼까요? 만약 두 물체가 서로를 이어주는 가상의 직선으로 힘을 주고받는다면, 중력은 떨어져 있는 거리에 그냥 반비례할 것입니다. 거리가 두 배로 증가하면 힘은 두 배로 감소한다! 그러나 실제로 중력은 거리의 제곱에 반비례합니다. 이것의 의미는 다음과 같습니다. 중력은 사방으로 퍼져 나가는 힘이라는 뜻입니다. 아이스크림콘을 상상해 보세요. 뒤집어서! 이제 가장 윗부분에 한 점이 있습니다. 우리가 제일 마지막에 먹는 부분입니다. 가끔씩 초콜릿이 들어 있기도 한 부분인데, 여기 한 점에 물체가 있습니다. 그리고 이 물체의 중력은 아이스크림콘처럼 퍼져 갑니다. 아이스크림콘의 꼭짓점에서 거리가 두 배 떨어지면, 아이스크림콘의 단면(콘을 세우고 수평으로 절단한 면)의 면적은 네 배로 증가합니다. 왜? 원의 면적은 반지름의 제곱에 비례하니까요. 이제 중학교 수학 시간에 배웠던 삼각형의 비례에 대한 내용과 원의 면적이 무엇이었는지에 대하여 머리를 쥐어짤 시간입니다. 중력은 질량이 있으면 작용합니다. 예외가 없습니다. 그리고 현대 물리학에서는 힘이라는 것은 무엇인가를 서로가 주고받으면서 작용하는 것으로 파악하고 있습니다. 중력을 매개하는 입자를 중력자라 이름 붙였으나, 아직까지 발견되지 않았습니다. 중력자에 대한 모든 내용들은 전부 추측입니다. 그러나 일반상대성이론에서는 중력을 시공간의 휘어짐으로 여기고 있습니다.

전자기력은 전기를 띤 입자들 사이에서 일어나는 현상입니다. 같은 전기를 가진 입자들은 서로를 밀어내고, 다른 전기를 가진 입자들은 서로를 끌어당깁니다. 서로 다른 전기라고 하니까, 전기의 종류가 엄청나게 많은 것처럼 느낄 수도 있지만, 전기의 종류는 딱 두 가지뿐이랍니다. 우리는 여기에 양의 전기 그리고 음의 전기라고 이름 붙였습니다. 세상은 양과 음으로 이루어져 있다는 것과 비슷하지요. 전자기력의 크기는 전하량에 비례하고, 전하들이 떨어져 있는 거리의 제곱에 반비례합니다. 중력과 똑같습니다. 전자기력 역시 사방으로 퍼져 나가는 힘입니다. 그리고 중력과 전자기력은 그 힘이 미치는 범위가 무한대입니다. 빛이 전자기파라고 하였습니다. 그러므로 전자기력을 매개하는 입자는 빛입니다. 정확히 표현하자면 빛의 입자인 광자입니다. 양성자와 전자가 서로 광자를 주고받으면서 끌어당기고 있습니다. 양성자와 양성자는 서로 광자를 주고받으면서 밀쳐내고 있습니다. 양성자와 양성자는 같은 양전기를 띠고 있는데 어떻게 원자핵을 구성하고 있을까요? 서로 밀어내고 있는데 말입니다. 이 의문을 해결하기 위한 과정에서 또 다른 힘이 발견되었습니다.

강력 또는 강한 핵력이라 부르는 이 힘은, 아직 한 가지는 나오지 않았지만, 네 가지 힘들 중에서 가장 강력합니다. 그리고 가장 짧은 거리에서만 작용합니다. 강력의 크기는 중력의 10의 40 제곱 배이고, 전자기력의 100 배입니다. 강력이 미치는 범위는 원자핵의 크기 정도인 1 펨토 미터($10^{(-15)}$ 미터)입니다. 원자핵을 이루고 있는 양성자들이 서로 간에 전자기력으로 밀어내고 있으나, 이보다 백배나 더 강한 강력이 양성자들과 중성자들을 꽉 붙들고 있습니다. 강력은 원자핵이 존재할 수 있도록 해 주는 힘이며, 이로 인하여 원자도 존재할 수 있으며, 이 세상의 모든 물질들이, 사람도 포함하여, 제 모양을 갖추고 있도록 해 주는 힘입니다. 강력은 양성자와 중성자를 이루고 있는 쿼크들에도 작용합니다. 강력이 쿼크들에 작용함으로써 양성자와 중성자가 제 모양을 유지할 수 있습니다. 강력을 매개하는 입자는 글루온이라 하는데, 8 가지가 있다고 합니다. 글루온의 질량은 '영'입니다. 영어 단어 glue를 찾아보면 '접착제' 그리고 '붙이다'라고 되어 있습니다. 글루온은 여기에서 따온 명칭입니다.

마지막 남은 하나의 힘은 약력 또는 약한 핵력입니다. 이 힘이 묘사하기가 가장 애매합니다. 원자핵에서 중성자가 양성자로 바뀌면서 전자와 반중성미자(중성미자의 반물질)를 내놓는 과정을 우리는 베타 붕괴라고 합니다. 왜 베타 붕괴냐 하면, 먼저 알파 붕괴가 있었거든요. 베타 붕괴는 전자를 방출하므로, 베타 붕괴 때 나오는 베타선은 전자입니다. 이렇게 중성자가 양성자로 바뀌면서 베타 붕괴를 일으키도록 하는 힘이 약한 핵력입니다. 그러니까 이 힘은 끌어당기는 힘이 아니고, 중성자를 양성자와 전자 그리고 반중성미자로 나누는 힘입니다. 조금 더 묘사하자면 중성자를 이루고 있는 쿼크를 바꾸어 줌으로써, 중성자가 양성자가 되고, 이때 위크 보존(Weak Boson)이 나오게 되고, 위크 보존이 전자와 반중성미자로 나누어지게 됩니다. 약력은 중력보다는 강하지만 전자기력보다는 약합니다. 그리고 약한 핵력을 매개하는 입자는 바로 위크 보존으로서, W^+, W^-, Z^0 이렇게 세 가지 종류가 있습니다.

물리학의 개념에 대하여 조금 더 추가하고자 합니다. 위에서 보존(Boson)이라는 단어가 나왔는데, 우리말의 '보존하다'와 비슷해 보이기는 하지만 전혀 다른 말입니다. 보손이라고도 하는데, 이것은 보존이라고 하면 우리말과 혼동될까 봐 그러는 것 같습니다. 물리학에서는 입자를 크게 두 가지 종류로 나눕니다. 입자의 상태에 따라서 나누는데, 기준은 이렇습니다. 같은 상태에 있을 수 있는 입자와, 절대로 같은 상태에는 있을 수 없는 입자, 이렇게 나눕니다. 전자의 성질 중 배타 원리가 기억나십니까? '한 원자에서 네 가지 양자 수가 같은 전자는 존재하지 않는다.' 이런 입자들을 페르미온(Fermion)이라 합니다. 반대로 같은 상태에 얼마든지 존재할 수 있는 입자를 보존(Boson)이라 합니다. 페르미온은 '페르미'라는 사람의 이름에서 따온 말이고, 보존은 '보즈'라는 사람의 이름에서 온 말입니다. 쿼크는 페르미온입니다. 전자와 중성미자, 그러니까 따로 렙톤(경입자)이라 부르는 이런 입자들도 페르미온입니다. 그리고 힘을 매개하는 입자들, 이것을 게이지 입자라고 하는데, 글루온, 위크 보존 그리고 광자는 보존입니다.

이것은 물리학에서 정한 것이 아니고, 발견한 것입니다. 물리학은 발견의 학문입니다. 그래서 진정한 물리학자들은 상당히 겸손합니다. 어쨌든, 광자가 보존이기 때문에 우리는 레이저를 만들 수 있었습니다. 레이저는 완전히 똑같은 광자들이 모인 빛다발입니다. 만약 광자가 페르미온이었다면, 한 원자 내에서 똑같은 광자가 있을 수 없으므로, 우리는 절대 레이저를 만들 수 없었을 겁니다. 다행스럽게도 광자는 보존이었답니다. 만약 광자가 전부 서로 달랐다면, 아마 우주는 이런 모습으로 만들어지지 않았겠지요.

3.8 생활에서 느끼는 힘

네 가지의 힘 중에서 가장 센, 강한 핵력은 원자핵을 결속하고 있습니다. 원자핵이 붕괴하거나 융합하는 핵분열 현상과 핵융합 현상은 강한 핵력이 있기 때문입니다. 우리는 이런 현상들을 이용하여 원자력 발전도 하고 있고, 원자폭탄이나 수소폭탄도 만들고 있습니다. 원자력 발전은 우리의 생활에 필요한 전기를 만들어 내고 있지요. 그러나 우리가 생활에서 몸으로 직접 강한 핵력을 체험할 수는 없습니다.

세 번째로 센, 약한 핵력은 지구의 내부에서 방사능 물질들이 붕괴하도록 하여, 지열을 만들어 내도록 한답니다. 지구의 온도 유지에 기여를 하고 있는 셈입니다. 역시 우리가 몸으로 체감할 수 있는 힘은 아닙니다.

우리는 생활하면서 네 가지의 힘 중에서 두 가지는 느낄 수가 없지만, 중력과 전자기력은 충분히 느끼면서 살고 있습니다. 가장 약한 중력 때문에 사람들과 건물들 등등 이 지구상의 모든 것들은 전부 지표면에 닿은 채로 생활할 수가 있지요. 저 먼 우주 공간(따지면 그리 멀지도 않지만)으로 떠나 버리지 않고 안정된 상태로 있을 수가 있습니다. 바다의 물과 대기권의 공기도 전부 중력 덕분에 지구에 머물러 있습니다. 우리는 물과 공기가 있어야 살 수 있으니까, 중력이 없다면 지구에서의 삶이란 존재하지 않게 됩니다.

우주에서 활활 타고 있는 항성들도 아마 태양처럼 지구와 같은 행성들을 몇 개씩 데리고 있을 겁니다. 행성들은 스스로 빛을 내지 않으므로 지구에서 우리가 관측할 수는 없지만, 태양이 8 개의 행성들과 수 백 수 천 개의 혹성들 그리고 소행성들과 함께 태양계를 이루고 있는 것처럼, 저 멀리 어딘가에 있는 행성들은 자신의 항성들 주위를 돌고 있습니다. 그리고 역시 중력이 있습니다. 우리가 우주선을 타고 간다면, 이 행성들에 착륙할 수가 있는 거지요. 그 행성의 중력이 우리를 끌어당길 테니까요. 태양계가 이 모습을 유지할 수 있는 것도 중력 덕분입니다. 우주는 중력에 기초하여 움직이고 있는 셈입니다. 중력이 질량 때문에 무조건 서로 끌어당기는 힘이든지, 아니면 시공간의 휘어짐이든지 간에, 우리는 생활에서 중력을 아주 많이 느끼면서 살고 있습니다.

두 번째로 강한 전자기력을 볼까요? 실제로 우리는 중력장 내에서 살고 있지만, 중력을 그렇게 심각하게 느끼지는 않는 것 같습니다. 그냥 당연하게 생각하는 경우가 많지요. 하지만 전자기력은 조금 다릅니다. 어쩌면 우리가 중력보다 전자기력을 생활에서 더 많이 경험할지도 모르겠습니다. 현대 문명은 전기에 기초하여 세워져 있습니다. 전자의 움직임이 전기이며, 전자는 전하를 가지고 있으므로, 전자가 움직이면 전자기파가 발생합니다. 우리는 전자기파의 홍

수 속에서 살고 있다고 해도 과언이 아닙니다. 특히 무선으로 정보를 주고받는 경우, 라디오, 텔레비전 그리고 스마트폰, 우리의 몸은 전자기파를 직접 쬐면서 살고 있습니다. 전자기파는 전기장과 자기장으로 이루어져 있습니다. 우리의 몸도 원자로 이루어져 있습니다. 전자기파가 우리 몸에 오면, 우리 몸을 이루는 원자들의 전자들이 (원자핵보다는 전자가 훨씬 가벼우므로) 전자기파의 전기장 때문에 진동을 하게 됩니다. 아주 옛날 물질문명이 이렇게 발달하지 않았던 시절의 인간들과 비교하면, 현대를 살아가는 우리들은 아주 미세한 육체적 떨림 속에서 살고 있습니다. 우리가 생활에서 느끼는 가장 많은 힘은 전자기력 인지도 모르겠습니다.

물리학에서는 모든 힘을 네 가지로 분류하였습니다. 그렇다면 대체 마찰력은 무엇일까요? 제 5의 힘일까요? 두 물체가 맞닿아 있다고 가정해 봅시다. 정말로 닿아 있을까요? 설마 그럴 리가요. 원자핵과 전자도 그렇게 멀리 떨어져 있는데, 어떻게 두 물체가 닿을 수가 있겠습니까? 그리고 물체의 표면이 완전히 매끄러울까요? 표면을 구성하고 있는 원자들이 완전히 똑같은 높이로 쌓여 있을까요? 그렇지 않겠지요. 아무리 매끈하게 다듬어도 물체의 표면은 원자 레벨에서 보면 엄청나게 울퉁불퉁합니다. 이런 두 물체의 표면을 붙이면, 울퉁불퉁하게 튀어나온 부분 때문에 물체는 절대로 완전히 닿을 수가 없을뿐더러, 뾰족한 부분들조차 전자들의 반발력 때문에 접촉할 수가 없지요. 한 물체의 뾰족한 부분이 다른 물체의 뾰족한 부분 사이에 끼어있을 수는 있겠지만, 이 경우에도 두 물체는 완전히 닿아 있을 수가 없습니다. 두 개의 전자를 완전히 붙여

놓을 수가 없기 때문입니다. 그리고 두 물체의 표면에서 전자들과 상대 물체의 원자핵에 있는 양성자들 사이에 끌어당기는 전자기력이 작용합니다. 이것이 바로 마찰력의 원인입니다. 마찰력은 전자기력이었습니다.

마찰력에 대하여 다른 방향으로 생각을 해 볼까요? 우리는 고교 물리 시간에 마찰력은 마찰계수 곱하기 물체의 질량 곱하기 중력 상수(중력 가속도)라고 배웠습니다. 물체의 질량 곱하기 중력 상수는 물체의 무게입니다. 만약 중력이 없다면, 중력 상수가 '영'이 되고, 마찰력은 없어집니다. 그렇다면 마찰력은 중력일까요? 무중력 상태라고 하는 우주 정거장에서 실험을 해 보겠습니다. 두 물체를 가까이 붙이면, 중력은 없지만, 마찰력이 있을까요, 아니면 없을까요? 시멘트 블록 두 개를 붙여서, 우주 정거장 안에서 문지르면 아주 매끈하게, 전혀 마찰 없이 두 개의 시멘트 블록이 미끄러질까요? 그렇지 않겠지요. 분명 마찰이 있습니다. 즉 전자기력이 작용하게 됩니다. 그러므로 마찰력은 전자기력입니다. 물리 시간에 배웠던 공식은 현실적인 식입니다. 가벼운 물체보다 무거운 물체를 밀어내기가 더 힘들다는 뜻입니다. 아울러 두 물체 표면의 입자들 사이에 작용하고 있는 전자기력을 수식으로 정확히 표현할 수 있을까요?

남자와 여자가 키스를 하는 장면을 상상해 봅니다. 서로의 입술이 다가갑니다. 그리고 포개집니다. 그러나 절대로 완전히 닿을 수는 없습니다. 그렇지만 서로의 입술 사이에서 전자기력이 작용하게 되고, 이것을 입술에 있는 감각세포가 느껴서, 역시 전기적 신호로 두뇌로 보내게 됩니다. 그러면 우리의 뇌는, '음!' 하고 판단하게 되겠지요. 만약 실제로 해 본다면, 전자기력을 충분히 느낄 수 있을 겁니다.

3.9 표준모형

세상 물질의 기본을 이루고 있는 것은 원자입니다. 그리고 원자보다 더 작은, 원자를 이루고 있는 양성자와 중성자 그리고 전자라는 입자도 있습니다. 그런데 양성자와 중성자를 이루고 있는 더 작은 입자들이 많이 발견되었습니다. 이런 입자들과 자연의 네 가지 힘을 묶어서, 물리학에서는 표준모형을 만들었습니다.

그럼 가장 기본이 되는 소립자들에 대해서 알아보겠습니다. 17개라고 합니다.

양성자와 중성자를 이루는 입자들을 쿼크라 하는데, 쿼크는 6 가지가 발견되었습니다. 업, 다운, 참, 스트레인지, 탑 그리고 바텀 쿼크입니다. 영어로 쓰면, up, down, charm, strange, top and bottom입니다. 현재까지 입자들의 수는 6입니다.

그리고 전자가 있고, 전자와 같은 친척뻘인 뮤 입자와 타우 입자가 있습니다. 뮤온, 타우온이라고도 불립니다. 이런 입자들에 우리는 렙톤이라는 이름을 붙였습니다. 이제 입자 수의 합이 9가 되었습니다.

여기에 더하여 중성미자가 있는데, 위의 렙톤들과 짝으로, 전자 중성미자, 뮤 중성미자 그리고 타우 중성미자가 있습니다. 이제 합이 12가 되었습니다.

자연에는 네 가지 힘이 있는데, 이 힘들을 매개하는 입자가 있습니다. 강력을 매개하는 글루온, 약력을 매개하는 W^+, W^-, Z^0 입자(위크 보존) 그리고 전자기력을 매개하는 광자(photon)가 있습니다. 중력을 매개하는 중력자는 아직 발견되지 않았으며, 이것이 존재하는지조차 모르므로, 표준모형에는 없습니다. 이제 기본 입자의 수가 16이 되었습니다.

한 개는 어디에 있을까요? 바로 입자에 질량을 부여한다고 알려진 힉스 입자입니다. 이제 17 개의 기본 입자가 전부 모습을 드러내었습니다.

이제 힘을 주고받는 것에 대하여 알아보겠습니다. 우리가 일상생활에서 누군가 또는 무엇인가에 힘을 주는 경우를 생각해 볼까요? 보통 손을 뻗어서, 내가 힘을 주고자 하는 대상에 접촉을 합니다. 만약 내가 입으로만 힘을 주었다고 말해보았자 아무런 소용도 없습니다. 소립자들 사이의 힘 역시 마찬가지입니다. 힘이라는 것에 대하여, 가만히 있는데도 불구하고 저절로 힘이 나와서 어떠한 힘의 공간을 만든다고 절대 생각하지 마십시오. 손을 뻗어서 상대에게 접촉을 해야 합니다. 그런데 소립자는 손이 없습니다. 그래서 소립자들은 다른 입자를 상대에게 보냅니다. 상대 소립자가 보낸 다른 입자의 운동량이 그 소립자에게는 힘으로 작용하게 됩니다. 일종의 충돌 현상이지요.

"에잇, 나의 로켓 펀치를 받아라!"

쿼크는 글루온을 주고받습니다. 그러므로 쿼크는 강력을 느끼고, 강력의 영향을 받습니다. 강력은 끌어당기는 힘이므로, 글루온은 로켓 펀치가 아니라, 스파이더맨의 거미줄이라고 해야 하겠습니다. 쿼크가 모여서 만들어진 양성자, 중성자 그리고 중간자 역시 강력을 느낍니다. 이외에도 쿼크들이 모여서 만들어진 수 백 개의 입자들 역시 강력을 느낍니다. 그래서 이런 입자들을 하드론이라 부릅니다.

전자와 그 친척들인 뮤온과 타우온 그리고 이들의 훨씬 더 먼 친척인 세 가지의 중성미자들은 위크 보존을 주고받습니다. 그러므로 이들은 강력을 느끼지 않고, 약력을 느낍니다. 그래서 이들에게는 경입자라는 이름, 즉 렙톤이라는 이름이 붙었습니다.

17 개의 입자들 중, 12개는 물질을 구성하는 입자들이고, 4 개는 힘을 매개하는 입자들 그리고 하나는 힉스 입자입니다. 12 개의 입자들은 강력을 느끼는 입자, 즉 쿼크 6 개와, 약력을 느끼는 렙톤 6 개로 구성되어 있습니다. 다른 표현으로 하면, 글루온을 내놓는 쿼크 6 개와 위크 보존을 내놓는 렙톤 6 개로 이루어져 있습니다.

그러면 중력은 어떤 입자들이 느낄까요? 모든 입자들이 느낀다고 보아야 하겠지요. 질량이 있으면 전부 중력의 영향을 받으니까요. 질량이 0인 입자들은 중력의 영향을 받지 않아야 하지만 (이것은 표현상의 문제이기는 하지만) 물리학에서는 '영'의 중력을 받는다는 쪽을 택합니다. 그리고 질량이 '영'인 광자 역시 시공간의 휘어짐 속에서 경로가 휘어집니다. 그러므로 중력은 모든 입자들이 받는다고 하는 편이 좋겠습니다.

퀴크와 렙톤들 역시 전하량을 가지고 있습니다. 그러므로 이들 입자들 역시 전자기력의 영향을 받습니다. 그러므로 퀴크와 렙톤들은 광자를 주고받고 있습니다. 그런데 전자기력은 서로 다른 전하를 가진 입자들 사이에서는 끌어당기는 힘이고, 서로 같은 전하를 가진 입자들 사이에서는 밀어내는 힘이므로, 양의 전하를 가진 입자와 음의 전하를 가진 입자가 내어 놓는 광자는 다르다고 보아야 하겠습니다. 양성자가 다른 양성자에게는 이런 광자를 보내고, 전자에게는 저런 광자를 보낸다고는 생각이 들지 않습니다. 즉 양성자가 자기 주위 입자들의 전하의 부호를 스스로 알아챈다고는 도저히 생각할 수가 없으니까요. 하지만 아직까지 물리학에서 이런 내용에 대한 어떠한 설명도 없습니다. 어쩌면 나의 생각이 틀렸을지도 모르겠습니다.

질량을 부여하는 힉스 입자는 그 자신이 다른 입자에게 질량을 부여하는 것이 아니라, '힉스 메커니즘이라는 과정을 통하여, 다른 입자에 질량을 주고, 잠깐 나왔다 사라지는 그런 입자이다.'라고 합니다. 힉스 메커니즘은 인터넷에서 찾아보면 많이 나와 있으므로, 여기에서는 생략합니다.

물리학에서 현재 제시하고 있는, 이 세상의 기본이 되는 표준모형은, 16(혹은 17) 개의 입자들과 4 개의 힘입니다.

제4장 세상의 진화

4.1 물리적 힘의 시대

아마 인류 문명의 시작점에서는 사람의 힘이 모든 작용의 원천이었을 겁니다. 사람이 손과 발로 그리고 온 몸을 써서 이런 저런 작업들을 해내었고, 이 결과 최초의 문명사회를 건설하였습니다. 그리고 사람의 힘만으로는 할 수 없는 일들을 해내기 위하여, 동물을 이용하였습니다. 말도 이용하고, 소도 이용하고, 개도 이용하게 되었지요. 지금도 지구촌 곳곳에서는 동물들을 이용하고 있습니다. 여러 가지 이유가 있겠지만, 일단 동물이 사람보다 힘이 더 셉니다. 그리고 동물들을 여러 마리 모으면 훨씬 더 어렵고 힘든 작업을 할 수 있습니다. 경제적인 이유도 있습니다. 동물들에게는 임금을 주지 않아도 됩니다. 정치적인 이유도 있습니다. 동물들은 시키는 대로 다 합니다. 파업을 하거나, 다른 요구 조건을 내걸지 않습니다.

하지만 사람과 동물의 힘으로도 안 되는 일이 생겼습니다. 사람의 욕심이 커진 것이지요. 그리고 여기에 과학과 기술이 결합을 하게 되었습니다. 힘을 절약하는 방법, 다른 표현으로 하자면, 입력의 힘을 증가시키지 않고, 출력의 힘을 증가시키는 방법을 알아내었습니다.

이런 도구로서, 우리 주변에서 쉽게 볼 수 있는 것으로는 지레가 있습니다. 지레의 종류는 세 가지가 있는데, 우리는 여기에 제 1종 지레, 제 2 종 지레 그리고 제 3 종 지레라는 이름을 붙였습니다.

제 1 종 지레는 가위, 저울 등이 있습니다. 나의 적은 힘으로 물체에 큰 힘을 가할 수 있습니다. 제 2 종 지레에는 집에서 병뚜껑을 따는 병따개가 있습니다. 그리고 손톱깎이도 여기에 속합니다. 마찬가지로 적은 힘으로 큰 힘을 만들어 낼 수 있습니다. 제 3 종 지레는 위의 두 종류의 지레와 다르게, 힘을 이득보기 위한 것이 아닙니다. 큰 힘으로 적은 힘을 만들어 내는 지레인데, 무엇에서 이득을 보냐 하면, 내가 움직이는 거리보다 물체가 움직이는 거리가 커집니다. 젓가락과 핀셋이 제 3 종 지레입니다. 우리는 일상생활에서 자신도 모르게 힘의 이득을 보면서 살고 있습니다. 그러나 일(에너지)에서는 전혀 이득을 볼 수 없습니다. 이것을 에너지 보존 법칙이라고도 합니다. 더 간단히 말하면, 세상에는 공짜가 없습니다.

생활에서 보기는 힘들지만, 힘의 이득을 보기 위하여, 기계에 많이 사용되는 것이 있습니다. 도르래입니다. 도르래는 고정 도르래와 움직도르래가 있는데, 움직도르래가 힘의 이득을 가져옵니다. 움직도르래를 하나 사용하면, 필요한 힘이 절반으로 줄어듭니다. 움직도르래를 두 개 사용하면, 다시 필요한 힘이 절반으로 줄어들게 되므로, 전체적으로는 사분의 일로 줄어듭니다. 세 개 사용하면, 팔분의 일로 줄어들게 되겠지요. 100 킬로그램을 들 수 있는 사람이 움직도르래 세 개를 사용하면 800 킬로그램을 들 수 있게 됩니다. 물론

이 경우에도 에너지에서는 이득을 볼 수가 없습니다. 100 킬로그램을 들 수 있는 내가 지상에서 1 미터 높이로 800 킬로그램을 들어올리려면, 움직도르래 세 개를 사용하면 되는데, 그러나 나는 물체에 달려 있는 줄을 8 미터 당겨야 합니다. 시간은 걸리겠지만, 그래도 성공할 수 있습니다.

실제로 기계가 사람보다 훨씬 더 힘이 세다고 합니다(이 기계는 외부에서 다른 에너지를 공급받지 않습니다.). 그렇지만 생각을 해볼까요? 만약 기계가 사람의 신체와 똑같은 구조로 되어 있다면, 어떻게 기계가 사람보다 더 힘이 셀 수 있을까요? 불가능하겠지요. 그렇습니다. 기계 역시 힘에서 이득을 볼 수 있는 물리적 방법 위에서 만들어져야 합니다. 그러므로 우리가 생활에 편리하게 사용하고자 기계를 설계할 때는 물리학에 대해서 조금이나마 알고 있는 편이 훨씬 더 도움이 될 겁니다.

사람은 물리적 힘을 이용하여 문명사회를 건설하였으며, 지금도 물리적 힘에 상당 부분 의존하고 있습니다. 물리적 힘의 시대는 인류 역사의 처음부터 있었으며, 지금도 진행 중입니다.

4.2 불의 시대

인류는 아주 우연히 불을 발견하였을 겁니다. 최초의 인간들인 원시 인류가 스스로 불을 만들어 내었다고는 생각하기 힘들겠지요. 그런데 지구의 기후는 아주 다양합니다. 비가 아주 많이 내리던 어느 날, 천둥이 마구 쳐대는 날씨 속에서, 어딘가 숲의 나무들에 번개가 떨어져 불이 났을 겁니다. 원시 시대의 사람들은 활활 타오르는 불을 보면서 두려움과 그리고 경이로움에 사로잡혔습니다. 특정한 지역에서는 화산이 폭발하여 용암이 강물처럼 흐르는 광경을 보기도 하였겠지요.

자연을 관찰하고 자연에서 배우던 그러면서 점점 더 영리해진 원시인들은 스스로 불을 보존할 수 있게 되었습니다. 그러다가 마침내 불을 만들어 낼 수도 있게 되었을 겁니다. 부싯돌을 사용할 수도 있고, 나무와 나무를 문질러 불을 만들 수도 있습니다.

우리 역시 생활의 많은 부분에 불을 사용하고 있습니다. 가정에서는 요리와 난방에 불을 사용합니다. 이제는 거의 사용하지 않지만 옛날에는 조명에도 불을 사용하였습니다. 조명용보다는 향기를 내는 용도로 더 많이 쓰기는 합니다만, 요새도 우리는 가끔씩 양초를 켭니다. 공장에서는 무엇인가를 녹이는 데에 불을 사용합니다. 금속을 녹이는데 많이 쓰고 있습니다. 아마 불을 사용하지 않는 작업장을 찾아보기는 힘들지 않을까요?

불은 물질의 4 가지 상태 중, 플라즈마입니다. 원자의 원자핵과 전자가 분리된 상태이지요. 물체의 속도를 증가시키려면, 우리는 물체에 계속 힘을 주어야 합니다. 그런데 플라즈마는 독특합니다. 에너지가 워낙 많아서, 혹은 온도가 아주 높아서, 외부에서 특별히 힘을 주지 않더라도, 플라즈마는 계속해서 유지됩니다. 종이에 불을 붙이면, 불이 한 번 붙고 나서 그냥 꺼질까요? 아닙니다. 종이가 다 타버릴 때까지 불은 계속 그 상태를 유지합니다. 불은 외부로 에너지를 열과 빛으로 발산하면서, 여기에 더하여 불이 붙어 있는 재료에도 에너지를 줍니다. 하늘에 떠 있는 태양을 포함하여 밤하늘에 밝게 보이는 모든 별들이 플라즈마 상태입니다. 우주에서 제일 많은 상태입니다. 어두운 우주에 여기저기 불덩어리들이 존재합니다. 수백 억 광년이라는 넓은 공간에 수천억의 수천억 배나 되는 불덩어리들이 있습니다. 우리는 어둠과 불이 지배하는 세상에서 살고 있는 셈입니다.

물리적 힘의 한계를 인간은 불의 힘으로 극복하였습니다. 여기에 더하여 사람들은 불에 의미를 부여하였습니다. 불에 좋은 이미지를 붙이기도 하고, 불을 아주 무시무시한 이미지로 채색하기도 하였습니다. 게다가 불을 떠받들기도 합니다. 인류와 불은 절대 떨어질 수 없는 관계입니다. 지금도 불의 시대는 이어지고 있습니다. 무엇인가를 태워서 불을 만들어 내는 것이, 에너지를 얻기 위한 가장 간단한 방법이지요.

4.3 물의 시대

어떤 계속적인 힘의 전달, 다른 표현으로는 연속적인 운동의 필요성을 사람들은 느꼈습니다. 사람이나 동물의 힘을 계속 이용할 수는 없었지요. 시간이 흐르면 사람이던지 동물이던지 피로가 쌓여 휴식을 취하지 않으면 견딜 수가 없었습니다. 불을 활활 피워 보아도 따뜻하기는 하지만 불을 물체의 운동에 이용할 수는 없었습니다. 그러다가 인류는 엔진(기관)이라는 것을 생각하게 됩니다. 불을 피운 다음, 이 불을 이용하여 물을 끓였습니다. 수증기가 마구마구 피어올랐습니다. 이 수증기를 피스톤에 연결하여 밖으로 뿜어냄으로써, 증기 기관이 완성되었습니다. 드디어 우리는 영구적인 운동을 하는 방법을 찾아내었습니다.

물은 지구에 아주 흔하디흔한 물질입니다. 사람조차 몸의 대부분이 물로 이루어져 있습니다. 물은 우리가 만들어 낼 수 있는 열량으로 충분히 끓일 정도로 그리 끓는점이 높지 않습니다. 물이 수증기로 변하면 그 부피가 약 1500-2000 배 정도 커진다고 합니다. 온도가 높아지면 원자나 분자들의 운동 에너지가 증가합니다. 원자나 분자들의 운동 범위가 커집니다. 그럼으로써 부피가 증가하고, 부피가 증가하면 압력이 증가합니다. 기체 상태로 된 물 분자들이 갇혀있는 상자의 벽에 사정없이 충돌을 해 댑니다. 이때 한쪽을 터 주면, 엄청난 힘으로 물 분자들이 뿜어져 나가겠지요. 물 분자들의 뿜어져 나가는 에너지를 회전 운동으로 전환시켰습니다. 직선 운동을 하면 한쪽 방향으로 계속 이동해야 하는데, 이것은 거리의 제한 때문에 불가능합니다. 왕복 운동을 하면 왔다 갔다 함으로써 결국 아무런 일도 일어나지 않지요. 빙글빙글 돌아가는 원운동이 필요합니다. 원판에 피스톤을 붙인 다음, 피스톤에서 수증기가 뿜어지면, 원판이 회전을 하게 됩니다. 그리고 회전 운동을 하는 원판에 무엇이든지 연결하면 됩니다. 드디어 인류는 엔진을 만들어 내었습니다. 엔진이 만들어짐으로써, 인간의 문명은 한 단계 도약을 하였습니다.

석탄이 발견되었습니다. 석탄을 태워서 수증기를 만들고, 이 수증기를 이용하여 엔진을 돌리면, 인간은 무엇이든지 할 수가 있게 되었습니다. 물은 얼마든지 있으니까요.

그러나 인간은 더 좋은 엔진을 원했습니다. 석유가 발견되었습니다. 물이 더 이상 필요가 없게 되었습니다. 이제는 불을 질러서 그 폭발력으로 엔진을 회전시킬 수 있게 되었습니다. 자동차와 비행기가 나왔습니다. 더 나아가 폭발 그 자체를 이용하게 되었습니다. 폭발의 반작용으로 로켓을 날리게 되었습니다. 더 안전하기는 하지만 덩치가 큰 증기기관은 무대에서 내려왔습니다.

권력을 가진 자들은 더 많은 돈을 원했습니다. 더 많은 돈을 얻기 위해서는 돈을 낼 사람이 많아져야 했습니다. 드디어 전쟁의 시대가 되었습니다. 석유를 가져야만 살 수 있게 되었습니다. 다시 불의 시대가 되었습니다. 불은 온 세상을 태웠습니다. 이제 불은 꺼졌으나, 불씨는 세상 여기저기에 남아 있습니다. 사람을 환상에 빠뜨리는 활활 타오르는 불길! 어쩌면 우리는 본능적으로 불을 지르고 싶어 하는지도 모릅니다. 우리에게 생명을 주는 물을 버리고, 우리에게 아름다움을 주는 불에 사람들은 더 매력을 느낍니다. 어린이들조차 비가 내리는 광경보다 빙글빙글 돌아가는 쥐불놀이를 좋아합니다. 우리는 언젠가 이 지구를 전부 태워버릴지도 모릅니다. 사람들은 그때 가서야 다시 물을 찾겠지요.

4.4 원자력의 시대

[1945 년 8 월 6 일 새벽 2 시 경, 서태평양의 괌(Guam)에서 북쪽으로 160 킬로미터 떨어져 있는 티니안(Tinian) 섬—북 마리아나 제도(Northern Mariana Islands)에 속해 있으며 사이판(Saipan) 섬 바로 남쪽에 위치하고 있다.—의 노스 필드 에어베이스(North Field Airbase)에서 12 명이 탑승한 제 393 폭격대(393rd Bombardment Squadron)의 실버플레이트 보잉 B-29 수퍼포트리스 폭격기가 이륙하였다. 이 비행기의 기장은 육군 항공대 제 509 혼성 부대(United States Army Air Forces 509th Composite Group)의 부대장인 폴 티베츠(Paul Warfield Tibbets, Jr.; 1915~2007) 공군 대령이었고, 폭격기의 이름은 에놀라 게이(Enola Gay)였다. 티베츠 대령은 어머니 이름을 따서 비행기의 이름을 지었다. 그리고 또 다른 두 대의 B-29—찰스 스위니(Charles W. Sweeney; 1919~2004) 소령의 그레이트 아티스트(The Great Artiste)와 조지 마쿼트(George W. Marquardt; 1919~2003) 대위의 B-29(이때는 이름이 없었으나, 나중에 네서서

리 이블(Necessary Evil)로 명명되었다.)—가 에놀라 게이의 뒤를 따라서 이륙하였다. 이 비행대는 약 6 시간의 비행 계획을 가지고 있었다. 세 대의 B-29는 각자의 경로를 따라서 비행하다가 이오지마 상공에서 합류하였다. 그리고 항로를 잡았다. 일본으로.

이 작전의 지휘관인 해군 대령 윌리엄 파슨스(William Sterling Parsons; 1901~1953)가 좁디좁은 B-29의 폭탄창에서 리틀 보이(Little Boy)를 조립하였다. 리틀 보이는 길이가 약 3 미터에 지름이 71 센티미터이고, 무게는 약 4.4 톤이었다. 히로시마 도착 30 분 전, 파슨스의 조수인 공군 소위 모리스 젭슨(Morris Richard Jeppson; 1922~2010)이 리틀 보이의 안전장치를 해제하였다.

히로시마 인근은 구름이 많이 끼여 있었지만, 히로시마 상공은 구름층이 뻥 뚫려 있어서 시계가 아주 좋았다. 오전 8 시 9 분 티베츠 대령은 폭격 비행을 시작하였으며, 폭격수 토머스 페레비(Thomas Wilson Ferebee; 1918~2000) 공군 소령에게 조종간을 넘겨주었다. 단 몇 분간의 폭격을 위하여, 그는 여기에 탑승하고 있었다. 페레비는 눈으로 조준경을 보면서 폭격을 하는 목측 폭격을 시작하였다. 이윽고 그의 조준경 십자선의 한가운데에 다리 하나가 떠올랐다.

"잡았다."

페레비는 그 순간 폭탄창을 열었다. 리틀 보이가 떨어져 나간 충격으로 에놀라 게이는 둥실 떠올랐다. 그리고 부기장 로버트 루이스(Robert A. Lewis; 1917~1983) 공군 대위가 회피 비행을 위하여 B-29를 180 도 선회시켰다.

오전 8 시 15 분, 64 킬로그램의 우라늄-235가 담긴 원자폭탄 리틀 보이가 최초로 히로시마에 투하되었다. 원폭은 비행 고도인 9,470 미터에서 B-29 수퍼포트리스로부터 분리되어, 43 초 동안 낙하한 후, 고도 600 미터에서 폭발하였다. 옆바람 때문에 원래 계획했던 목표 지점인 아이오이 다리(Aioi Bridge)를 240 미터 지나쳐, 시마 외과 병원(Shima Surgical Clinic) 바로 위에서 터졌다.

그리고 히로시마가 사라졌다.

이 폭발로 인하여 7 만에서 8 만 명이 사망하였고, 또 다른 7 만 명이 부상당하였다.

폭발의 위력을 확인하기 위하여, 이후에 히로시마 상공을 관측 비행했던 한 장교는 다음과 같이 보고하였다.

"여기에는 더 이상 고지라 부를 만한 것이 없음."]

리틀 보이를 만드는데 주도적인 역할을 한 사람은 다음의 8 명입니다.

오펜하이머(Julius Robert Oppenheimer; 1904~1967)

노이만(John von Neumann; 1903~1957)

위그너(Eugene Paul Wigner; 1902~1995)

스릴라드((Leó Szilárd; 1898~1964)

콤프턴(Arthur Holly Compton; 1892~1962)

로렌스(Ernest Orlando Lawrence; 1901~1958)

보어(Niels Henrik David Bohr; 1885~ 1962)

페르미(Enrico Fermi; 1901~1954)

이 중 위그너, 콤프턴, 로렌스, 보어 그리고 페르미는 노벨 물리학상을 수상했습니다.

4.5 전기의 시대

'현재 우리 인간의 생활에서 가장 중요한 것은 무엇일까?'라고 한다면, 그것은 바로 전기라고 말할 수 있습니다. 우리 생활의 시작은 전기 에너지입니다. 전기가 없으면, 우리는 아무 것도 할 수가 없지요. 전기를 만들어내는데 다른 에너지를 사용하기는 하지만, 직접적으로 우리의 생활과 관련이 있지는 않습니다. 물론 예외가 있기는 합니다. 예를 들면, 주방에서 사용하는 가스레인지는 불의 힘을 사용하고 있지요. 주변의 물건들을 볼까요? 크게 두 가지로 나눌 수 있습니다. 사람의 손으로 동작시키는 것과 그렇지 않은 것. 그러면 사람의 손으로 동작시키지 않는 기구는 과연 어떤 에너지로 동작할까요?

고대 사회에서도 전기와 자기의 존재를 알고 있었습니다. 아마 우연히 발견했겠지요. 그들은 정전기를 알고 있었고, 자석과 나침반을 사용했습니다. 먼 길을 가는데 방향을 알기 위해서는 나침반이 반드시 있어야 했습니다. 이러한 전기와 자기에 대하여 연구를 시작한 사람은 영국의 윌리엄 길버트(1544~1603)라고 알려져 있습니다. 길버트는 지구가 거대한 자석이라는 것을 알아내었으나, 전기와 자기를 서로 다른 것으로 나누어 버렸습니다.

그리고 시간이 흘러 18 세기가 되었습니다. 과학자들은 전기 실험을 하고 싶어 했습니다. 그러나 대체 어디에서 전기를 가져와야 할지 몰랐습니다. 건전지를 넣으면 되겠지만, 불행히도 이때는 아직 건전지가 없었답니다. 그러나 사람들은 정전기를 알고 있었고, 문지르면 전기가 생긴다는 것도 알고 있었습니다. 그래서 누군가가 뭔가를 문질러서 전기를 만들어 냈습니다. 앞뒤로 문지르면 힘드니까, 빙빙 돌리면 문질러지는 장치를 만들었지요. "거기, 조수, 잘 좀 돌려!" 아마 실험실에서는 이런 대화가 오고 갔을 겁니다. 이것이 마찰전기 발생 장치였습니다. 손잡이를 돌려서 전기를 발생시켰고, 이 전기를 받아 실험을 하였습니다. 이 장치의 결점은 전기를 저장할 수가 없었고, 일정한 전기를 발생시키기도 힘들었습니다. 조수가 장치를 돌리다가 팔이 아프면 좀 천천히 돌릴 수도 있지 않았을까요? 이제 필요한 것이 생겼습니다. 전기를 발생시키는 것은 그럭저럭 하고 있었으니까, 어딘가에 전기를 저장해야만 했습니다.

그런데 전기 실험을 하는 도중 우연히 두 사람이 전기에 감전되었습니다. 무지무지 짜릿했다고 합니다. 네덜란드의 피터르 판 뮈스헨부르크(1692~1761)와 독일의 에발트 유겐스 폰 클라이스트(1700~1748)였습니다. 두 사람은 각자 전기 저장 장치를 만들었고, 사람들은 이것을 라이덴병이라고 불렀습니다. 드디어 이제부터는 전기를 저장하여 가지고 다닐 수 있게 된 것입니다. 라이덴병은 지금의 축전기입니다. 완전히 똑같습니다. 전기 회로에서 양극과 음

극을 도체로 연결하면 전기가 흐르지만, 떼어놓으면 전기가 절대로 흐르지 않지요. 전기적으로 단락되었다고 합니다. 하지만 현대 물리학에서 밝힌 바에 따르면, 두 도체 사이의 거리가 너무 작으면, 가령 나노 단위라면 전기가 흐를 수도 있습니다. 그리고 이것 때문에 언젠가는 더 좋은 컴퓨터 CPU를 만들 수 없는 날이 올지도 모릅니다. 더 이상 전기 회로의 선폭을 작게 만들 수 없기 때문입니다. 라이덴병의 서로 떨어져 있는 두 도체 사이에는 전기가 저장됩니다. 이것이 축전기이고, 두 도체 사이에 전기가 흐르지 않는 부도체를 끼워 넣으면 더 많은 전기를 저장할 수 있습니다.

이제 19세기가 되면서, 본격적으로 전기와 자기에 대한 것이 밝혀집니다. 프랑스의 찰스 오거스틴 드 쿨롱(1736~1806)이 비틀림 저울을 사용하여 '쿨롱의 법칙'을 발견하였습니다. '두 전하 사이에 작용하는 힘은, 두 전하량의 곱에 비례하고 두 전하 사이의 거리의 제곱에 반비례한다.' 만유인력의 법칙과 같은 형태입니다. 다른 점은, 만유인력은 끌어당기는 힘만 존재하지만, 전기력은 두 전하가 같은 극이면 서로 밀쳐내고, 두 전하가 서로 다른 극이면 서로 끌어당깁니다. 그리고 이탈리아의 알레산드로 주세페 안토니오 아나타시오 볼타(1745~1827)가 마침내 전지를 발명하였습니다. 나폴레옹 황제(나폴레옹 보나파르트; 1769~1821) 앞에서 전기 실험을 하였으며, 이에 감동한 나폴레옹은 볼타에게 백작의 작위를 수여합니다. 볼타는 수많은 영광 속에 살았던 몇 안 되는 과학자 중 한 사람이었습니다. 지금도 그렇지만, 많은 과학자들이 살아생전에는 인정을 받지 못하고 고통과 가난 속에 살다가 쓸쓸히 죽어 갔던 것에 비하면, 볼타는 대단히 운이 좋은 사람이었습니다. 덴마크의 한스 크리스티안 외르스테드(1777~1851)는 대학 실험 강의 도중 어떤 현상을 발견하였습니다. 전류가 흐르는 도선 옆에 있는 나침반이 움직이는 것을 발견한 것입니다. 우리는 과연 이것으로부터 어떤 생각을 할 수 있을까요?

(1) 아무 생각이 없다.
(2) 눈에 보이지 않는 무엇인가가 나침반을 움직였다.

만약 눈에 보이지 않는 무엇인가가 나침반을 움직였다면, 과연 그것은 무엇일까?

(1) 도선에 흐르는 전류의 전자가 공기 중으로 나와서 나침반을 움직였다.
(2) 전류가 흐르는 것 때문에, 무엇인가가 생겼고, 이것이 나침반을 움직였다.

외르스테드는 자기장이 나와서 나침반에 영향을 주었다고 생각하였으며, 이 자기장은 도선에 흐르는 전류 때문이라고 생각하였습니다. 즉 전류가 자기장을 만든다는 것이지요. 드디어 전기와 자기가 하나로 통합되는 시간이 다가오고 있습니다. 이것에 이어서 프랑스의 앙드레 마리 앙페르(1775~1836)가 '앙페르의 법칙'을 발견하였습니다. 직선도선이나 원형도선에 전류가 흐르면(전기장이 변하면), 전류 방향으로 오른손 엄지를 향하고 나머지 네 손가락을 감은 방향으로 자기장이 생긴다는 것입니다. 그래서 두 직선 도선을 나란히 놓고 같은 방향의 전류를 흐르게 하면 두 도선은 끌어당기게 되고, 다른 방향의 전류를 흐르게 하면 두 도선은 밀어내게 되지요. 이유는 두 도선에 자기장이 생겼으므로, 자석과 같은 효과를 내기 때문입니다. 자석은 같은 극끼리는 밀어내고, 다른 극끼리는 끌어당기지요. 그리고 프랑스의 장 바티스트 비오(1774~1862)와 펠릭스 사바르(1791~1841)가 '비오 사바르 법칙'을 발견하였습니다. 전류가 생성하는 자기장은 전류에 수직이고 전류에서의 거리의 제곱에 반비례한다는 것입니다. 제곱에 반비례한다는 역제곱 법칙이 또 나왔습니다. 그러나 전자기학은 아직도 갈 길이 남아 있습니다.

독일의 칼 프리드리히 가우스(1777~1855), 대부분의 사람들은 가우스를 수학의 대가로 기억을 하는데, 물론 가우스는 수학의 대가임에 맞지만, 전자기학에도 중요한 업적을 남겼습니다. 바로 '가우스 법칙'입니다. 물리학적 표현을 빌리자면, 다음과 같습니다. '폐곡면을 통과하는 전기력선을 알면, 그 폐곡면 내부에 들어 있는 전하량을 알 수 있다.' 음, 무슨 소리일까요? 좀 더 쉬운 표현으로 바꾸어 볼까요? 공이 있다고 하고, 공 속에 전하가 들어 있습니다. 이제 공 밖에서 공에서 나오는 전기력선을 전부 세어봅니다. 공 내부에 전하가 많으면 전기력선도 많이 나올 테고, 전하가 적으면 전기력선도 당연히 적게 나올 것이므로, 공 속에 있는 전하량을 알 수가 있습니다. 물론 공에서 나오는 전기력선이 눈에 보일 리 만무하고, 설령 눈에 보인다 하더라도 이것을 셀 수도 없을 것입니다. 그런데 왜 이 법칙이 중요할까요? 바로 이 법칙이 일반화된 쿨롱의 법칙이기 때문입니다. 그리고 나중에 맥스웰 방정식에 1번으로 포함되게 됩니다. 드디어 영국의 마이클 패러데이(1791~1867)가 등장합니다. 패러데이 이전에는, 전기는 자기를 만들지만 자기는 전기를 만들지 않는다고 알고 있었답니다. 패러데이는 자기에서 전기가 생기는가 하는 문제를 연구하였습니다. 처음에는 전류가 흐르는 도선 옆에 자석을 그냥 놓아두었다고 합니다. 그리고 7년이 지나서야 놀라운 발견을 하게 됩니다. 시간에 따라 변하는 자기장이 전기장을 만든다는 것입니다. 전자기 유도 현상입니다. 그리고 이 법칙이 발전소에서 전기가 만들어지는 원리입니다. 미국의 조지프 헨리(1797~1878) 역시 스스로 전자기 유도 현상을 발견했습니다.

덧붙여서 'EBS 지식채널e 마이클 패러데이' 편을 보면, 내용 중에 이런 문구가 나옵니다. '~ 돈이 없어 배우지 못하고, 꿈조차 꾸지 못하는 아이들을 위해 ~' 볼 때마다 가슴이 미어집니다.

독일의 하인리히 프리드리히 에밀 렌츠(1804~1865)가 '패러데이의 법칙에 의해서 유도된 전류는, 자기장의 변화를 방해하는 방향으로 생긴다.'는 '렌츠의 법칙'을 발견하였습니다. 전자기유도의 방향에 관한 법칙입니다. 그리고 자기장 속에서 움직이는 하전 입자가 받는 힘을 네덜란드의 헨드릭 안톤 로렌츠(1853~1928)가 수식으로 만들었습니다. 우리는 이 힘을 '로렌츠 힘'이라 부르는데, 아직 이 힘의 이유는 풀리지 않았습니다.

영국의 제임스 클럭 맥스웰(1831~1879)이 위의 법칙들을 모아서, 네 개의 방정식으로 만들었습니다.

맥스웰 방정식은 간략히 내용만 서술하면 다음과 같습니다.

(1) 가우스 법칙: 전기력선을 알면, 전하량을 알 수가 있다.

(2) 이름이 없다.: 자석은 반드시 N극과 S극이 존재한다. (홀로 있는 자기극은 없다.)

(3) 패러데이 법칙: 자기장이 변하면, 전기장이 생긴다. (이 식에는 (-)부호가 있는데, 이것이 바로 렌츠의 법칙이다. (-)부호가 전자기유도의 방향을 나타내준다.)

(4) 맥스웰이 수정한 앙페르 법칙: 전기장이 변하면, 자기장이 생긴다는 것과 더하여 이론적인 이유로 맥스웰이 첨가한 항. (순전히 이론적인 이유로 첨가했지만, 나중에 맞는다는 것이 밝혀졌다.)

이제 전자기학이 완성되었습니다. 아울러 고전 물리학은 최고 정점에 오르게 됩니다. 물리학은 더 이상 연구할 것이 남아있지 않다고 다들 생각하였습니다. 몇 가지 남은 것들만 정리하면 될 것이라고들 하였습니다. 그 몇 가지 남은 문제를 풀다가, 그만 '양자역학'이 탄생하게 됩니다.

4.6 전자의 시대

현대 사회는 전자 기반 사회입니다. 조금 더 풀어 쓴다면, 거의 모든 것들이 전기에 의해서 움직이고 있습니다. 바로 이 전기의 근본이 전자이지요. 전자가 움직이면 전류가 흐른다고 합니다. 직류 전기는 전자가 한 방향으로 움직이는 것이고, 교류 전기는 전자가 왔다 갔다 하는 것인데, 실제로는 거의 그 자리에서 앞뒤로 진동하고 있습니다. 전자의 운동 속도는 실제로는 초속 몇 센티미터 정도이지만, 전기 신호의 전달 속도는 광속입니다. 왜? 전기는 전자기파이니까요.

전기 에너지를 사용하기 위해서는, 먼저 전기를 만들어야 하겠지요. 전기는 어디에서 어떻게 만들 수 있을까요? 전기는 발전소에서 패러데이 법칙을 응용하여 만들면 됩니다. 자기장(자석) 속에 전기가 흐를 수 있는 도선을 배치하고, 빙빙 돌리면(도선이 느끼는 자기장의 변화를 만들면), 도선에 들어 있는 전자들이 움직입니다. 전자들이 얼마나 움직일까요? 자기장 속에서 움직이는 전자가 받는 힘은 로렌츠의 공식을 이용하여 구할 수 있습니다. 그리고 힘의 방향

(전자가 움직이는 방향)은 영국의 존 암브로즈 플레밍(1849~1945)의 오른손법칙으로 찾을 수 있습니다.

'발전소를 짓는다. 자석을 가져온다. 도선을 자석의 내부에 설치한다.' 전기를 만들기 위해서는 이걸로 끝일까요? 아닙니다. 이제 도선을 돌려야 합니다. 어떻게?

(1) 사람이나 동물의 힘으로 돌린다.
(2) 다른 힘을 사용하여 돌린다.

실제로 1번의 힘으로 돌려도 아무런 상관이 없습니다만, 우리는 더 좋은 방법을 찾아냈습니다. 바로 터빈이라는 것인데, 터빈을 돌리고 여기에 도선을 연결하면 됩니다. 떨어지는 물로 터빈을 돌리면 수력발전이고, 기름, 석탄 또는 가스로 물을 끓여서 수증기를 만든 다음, 이것으로 터빈을 돌리면 화력발전이지요. 방사능 물질의 핵분열에서 나오는 열로 물을 끓여서 수증기를 만든 다음, 이것으로 터빈을 돌리면 원자력발전이고, 태양열로 물을 끓여서 수증기를 만든 다음, 이것으로 터빈을 돌리면 태양열 발전입니다. 건전지와 태양광 발전은 각각 다른 과학적 원리를 이용합니다. 건전지는 내부에 있는 물질들의 화학 반응을 이용하고, 태양광 발전은 빛을 쪼이면 전자가 이동하는 현상을 이용합니다.

이렇게 만들어진 전기 에너지를 이용하기 위해서는, 전기로 동작하는 무엇인가가 있어야 합니다. 가정에 있는 거의 모든 것들이 전기로 동작하는데, 이렇게 될 수 있도록 해주는 것은 과연 무엇일까요? 1873 년에 영국의 프레더릭 구드리(1833-1886)가 열전자 방출 효과를 발견하였는데, 이 효과는 토머스 앨버 에디슨(1847~1931)에 의해 1883 년에 다시 발견되었습니다. 플레밍(1849~1945, 위에서 플레밍의 오른손법칙으로 나왔다.)이 이 효과를 이용하여 2극 진공관을 발명하였습니다. 2극 진공관은 검파기로 쓸 수 있었습니다. 검파란 영어로 디텍션(Detection)인데, 스타크래프트에서 사이언스 베슬이 바로 디텍터이지요. 검파란 간단히 말해서 수신된 전파에서 우리가 들을 수 있는 신호를 뽑아내는 것입니다. 그리고 미국의 리 디 포리스트(1873~1961)가 3극 진공관을 만들었습니다. 3극진공관은 검파 기능 외에 신호를 증폭할 수 있었는데, 이 증폭이라는 것이 전자회로에서 아주 중요한 기능입니다. 그 후 4극, 5극 진공관이 나왔습니다. 그러나 진공관은 성능의 문제가 아니라, 열전자 방출 효과를 이용하므로 발열이 큰데다 전력 소모도 많았고, 게다가 부피가 컸기 때문에 한계에 달하게 됩니다. 아울러 수명도 그리 길지는 않았습니다. 그러나 고급 오디오에서는 지금도 진공관이 사용되지요. 음질에서 뭔가 다른 느낌이 있다고 합니다.

마침내 1947 년 미국의 윌리엄 쇼클리(1910~1989), 존 바딘(1908~1991) 그리고 월터 브래튼(1902~1987)이 트랜지스터를 발명했습니다. 트랜지스터의 발명으로 드디어 전자 시대가 시작되었습니다. 트랜지스터는 수명이 반영구적이고 열도 별로 나지 않고, 게다가 크기도 아주 작았습니다. 트랜지스터의 기능은 크게 보면 두 가지인데, 하나는 스위칭이고 다른 하나는 증폭입니다. 스위칭이란 전기 신호를 가게 할 수도, 못 가게 할 수도 있다는 것이고, 증폭은 전기 신호를 키우는 것입니다. 스위칭은 트랜지스터의 세 단자에 적당한 전압이 걸리도록 하면, 트랜지스터가 전기가 통했다 안 통했다 하는 성질을 이용합니다. 전기가 통했다 안 통했다 하는 것으로, 우리는 '영'과 '일' 이렇게 두 가지 숫자를 표현할 수가 있습니다. 그리고 증폭의 원리는 다음과 같습니다. 트랜지스터의 한 단자에 100의 에너지가 들어가서, 다른 두 단자로 10과 90의 출력이 나옵니다. 여기에서 10 쪽에 신호를 걸어주면, 이 신호가 90 쪽으로 나옵니다. 그렇게 되면 신호가 아홉 배로 증폭되게 됩니다. 증폭이란 것이 진짜로 작은 에너지를 크게 키우는 것은 절대로 아닙니다. 이 세상에 공짜는 없으니까요.

전자 회로에 사용되는 대표적인 부품이라면 다음과 같습니다. 트랜지스터, 다이오드, 저항, 커패시터(콘덴서) 그리고 코일. 이 다섯 개의 부품을 이리저리 연결하여 원하는 기능을 하는 전자 제품을 만들어 낼 수가 있습니다. 트랜지스터는 스위칭이나 증폭을 하는 부품이고, 다이오드는 한 방향으로만 전류가 흐르게 해주는 부품입니다. 저항은 전기가 잘 흐르지 못하도록 하는 부품이고, 그럼으로써 전압 강하를 일으키고 회로를 보호합니다. 커패시터는 전기를 저장하는 부품이지요. 커패시터는 실제로는 회로가 끊어져 있는 것입니다. 직류는 절대 흘러갈 수 없습니다(전기가 저장됩니다.). 그런데 교류는 왔다 갔다 하는 특성이 있어서, 커패시터(끊어진 회로)를 넘어서 갈 수가 있습니다. 마지막으로 코일은 도선을 감은 것인데, 이렇게 되면 직선 도선과 차이가 생깁니다. 직선 도선은 직류 전류가 흘러가면 전류의 방향이 변하지 않습니다. 그러나 코일은 동그랗게 전선이 말려 있으므로, 여기에 전류가 흐르면 전류의 방향이 바뀌게 됩니다. 즉 전자가 원운동을 하면서 가는 것이지요. 전류의 방향이 바뀌면 전기장이 바뀌는 것이고, 그러면 자기장이 생깁니다. 코일과 커패시터를 이용하여, 전자기파를 발진시킬 수 있습니다. 그런데 이런 전자 부품들을 연결하는 선들이 거추장스러워졌습니다. 만약 선들이 필요 없게 된다면 더 작게 만들 수 있을 것이고, 더 작게 만들 수만 있다면, 제한된 부피에 더 많은 기능을 넣을 수 있다는 생각이 사람들의 머릿속에 생겼습니다. 이것에 관하여 영국의 G. W. A. 더머(1909~2002)가 1952 년 반도체 웨이퍼 위에 회로를 새겨 넣는 방법을 발표했습니다. 그리고 미국의 잭 킬비(1923~2005)가 처음으로 집적회로를 만들었지요. 그래서 하나의 기판 위에 전자 부품들을 전부 올릴 수 있는 집적회로가 탄생하였습니다. 집적회로의 원리는 생각보다 간단합니다. p형 반도체와 n형 반도체가 있는데, 이 두 가지를 어떻게 쌓느냐 하는 것이 관건입니다. p형이나 n형이 혼자 있으면, 이것은 저항이 되고, p형과 n형을 쌓으면, 이것은 다이오드가 됩니다. pnp 또는 npn 이렇게 쌓으면, 바로 트랜지스터입니다. 이제부터 제한된 공간에 누가 얼마나 더 많은 트랜지스터를 집어넣느냐 하는 경쟁이 시작되었습니다. 그리고 이 혜택을 가장 많이 본 것이 바로 컴퓨터입니다. 요새 나오는 컴퓨터 CPU에는 10억 개 이상의 트랜지스터가 들어 있다고 합니다. 컴퓨터 CPU는 처음에 미국의 인텔과 모토롤라가 만들었지요. 인텔은 익숙하지만 모토롤라는 조금 생소할 수도 있습니다만,

1969 년 미국의 아폴로 11호 달 착륙에서 닐 암스트롱(1930~2012)이 사용한 무전기가 바로 모토롤라 제품이었습니다. 인텔 CPU가 들어간 것이 PC(Personal Computer, IBM 제품 또는 IBM 호환 제품)이고, 모토롤라 CPU가 들어간 것이 매킨토시였는데, 요새는 맥에도 인텔 것이 들어간답니다. 이제 컴퓨터 CPU는 인텔과 AMD가 주로 만들고 있습니다.

30여 년 전만 해도 우리 가정에는 컴퓨터가 별로 없었습니다. 그러나 지금은 컴퓨터를 들고 다니는 시대입니다. 바로 스마트폰이지요. 스마트폰은 전화기일까요, 컴퓨터일까요? 전화를 할 수 있는 컴퓨터일 수도 있고, 컴퓨터가 내장된 전화기일 수도 있습니다. 그리고 더 중요한 점은 이것을 누군가가 만들어 냈다는 사실입니다. 앞으로 30 년 후에는 컴퓨터나 스마트폰이 어떻게 될까요? 누가 제2의 스티브 잡스(1955~2011)가 될까요?

4.7 빛의 시대

맥스웰 방정식에서 전자기파의 존재가 나오고, 이 전자기파의 속도를 풀어보면 광속이 나옵니다. 그러므로 빛은 전자기파입니다. 빛이 파동임이 증명되었습니다. 이제 이론으로 증명되었으니, 실험으로 검증할 단계가 왔지요. 독일의 하인리히 루돌프 헤르츠(1857~1894)가 전기적 실험 장치를 가지고 전자기파의 존재를 확인하였습니다. 즉 전자기파를 발생시키고, 다시 이것을 검출하였습니다. 아울러 이렇게 발생된 전자기파가 빛과 동일한 성질을 가지고 있음을 입증하였습니다. 용어를 잠깐 정리하자면, 우리는 전자기파와 빛을 구분하여 사용하는 경향이 있습니다. 모든 영역의 파장을 전자기파라 하고, 자외선, 가시광선 그리고 적외선 영역을 따로 구분하여 빛이라 부릅니다. 그러나 이것은 빛에 대한 소극적 정의입니다. 빛에 대한 적극적 정의는 전자기파는 곧 빛이고, 빛이 곧 전자기파라는 것입니다. 우리가 사용하고 있는 AM, FM 하는 것들과 휴대전화의 주파수인 몇 메가헤르츠니 기가헤르츠니 하는 것들이 전부 빛이요 전자기파입니다. 이제 무선의 시대가 왔습니다. 우리 생활에서 무선인 것을 골라 볼까요? 무전기, 라디오, 텔레비전, 휴대전화 그리고 와이파이 등등 무척 많이 있습니다.

우리가 생활에서 빛을 이용하는 경우가 몇 가지나 될까요? 가장 먼저 머리에 떠오르는 것은 조명입니다. 우리는 빛을 이용하여 어두운 밤을 밝힙니다. 조명의 역사는 아주 길지요. 원시 시대부터 인간은 불을 밝혀서 어둠을 견디어 냈습니다. 하늘에 찬란히 빛나는 태양의 용도는? 실제로 태양의 가장 큰 도움은 지구에 대한 에너지 공급입니다. 만약 태양이 없다면 우리는 전부 꽁꽁 얼어버릴 것이기 때문입니다. 하지만 우리가 몸으로 느끼는 태양은 조명입니다. 그 다음 우리가 빛을 사용하는 분야는 통신이지요. 통신에는 유선 통신과 무선 통신이 있습니다. 유선 통신에는 구리선을 이용한 통신과 광케이블을 이용한 통신이 있습니다. 라디오와 텔레비전 역시 통신의 일종이고, 인터넷도 광통신에 의존하고 있습니다.

조명과 통신, 이 두 가지가 실생활에 사용되는 빛의 가장 큰 용도일 것입니다. 그 외에 빛의 에너지를 활용하는 분야를 든다면, 전자레인지처럼 물체를 데우는데 사용되기도 하고, 태양전지판에서처럼 전기를 만드는데 사용되기도 합니다.

우주에서 물리적으로 가장 빠른 것은 무엇일까요? 독일의 알버트 아인슈타인(1879~1955)의 특수상대성 이론에 의하면, 가장 빠른 것은 빛(전자기파)이라고 되어 있습니다. 그리고 어떤 것도 빛과 동일하거나 더 빠르게 갈 수 없다고 합니다. 빛의 속도는 약 초속 30만 킬로미터입니다. 지구 둘레가 약 4만 킬로미터이므로, 빛은 1초에 지구 둘레를 일곱 바퀴 하고도 반을 돌 수 있습니다. 휴대전화 역시 전자기파를 사용하므로, 우리는 광속의 세계에서 살고 있습니다. 만약 약간의 시간 지연이 생긴다면, 이것은 빛의 문제가 아니라 전자적(전기적)인 문제일 뿐이지요.

그런데 광속은 항상 일정할까요? 절대로 그렇지 않습니다. 빛 역시 다른 물질들과 상호 작용을 합니다. 진공 즉 아무 것도 없는 곳에서의 광속은 초속 30만 킬로미터이지만, 물속에서 빛의 속력은 약 초속 23만 킬로미터로 줄어듭니다. 어떤 매질의 굴절률이란 진공에서의 광속 대 매질 속에서의 광속의 비로 정했으므로, 우리는 이것으로부터 물의 굴절률을 1.3이라고 계산할 수 있습니다. 보통 유리의 굴절률은 약 1.5이므로, 우리가 보는 유리창 바깥의 풍경은, 유리가 없을 때의 풍경보다 비록 느낄 수는 없지만, 약간의 시간 지연이 있는 경치를 보게 되는 것입니다. 만약 두께가 1 킬로미터인 유리창을 통해서 바깥을 본다면 어떻게 될까요? (유리창이 너무 두꺼워서 볼 수 없다는 가정은 배제하겠습니다.) 1 킬로미터의 공간을 빛이 초속 30만 킬로미터로 달리는 시간은 약 3.3 마이크로초입니다. 그리고 굴절률이 1.5인 유리를 통과할 때의 광속은 20만 킬로미터이므로, 1 킬로미터 두께의 유리를 빛이 통과하는 시간은 5 마이크로초입니다. 두 경우의 시간 차이는 1.7 마이크로초가 됩니다. 컴퓨터에서 1 마이크로초는 얼마나 긴 시간인지 상상을 해 보세요. 공기 중을 진행하는 빛과 유리로 된 광섬유 속을 진행하는 빛이 지구 둘레 4만 킬로미터를 이동한다고 가정하면, 4만 곱하기 1.7 마이크로초는 68000 마이크로초입니다. 즉 68 밀리초(0.068초)의 시간 차이가 생기게 됩니다. 1 초도 안 되는 차이므로, 우리는 광섬유를 이용한 인터넷을 하면서 시간 지연에 대한 체감을 하지 못합니다. 결론적으로 인터넷이 느린 것은 절대 빛 자체 때문은 아니겠지요.

옛날이야기 하나! 어떤 중이 거리를 걸어가고 있었는데, 길거리에서 웬 아이가 대낮에 촛불을 켜고 있었다고 합니다. 중은 장난기가 발동하여 꼬마에게 "얘야, 그 빛이 어디에서 왔을까?"하고 물어 보았습니다. 그러자 그 꼬마는 입으로 훅 불어서 촛불을 꺼버리며 말하길, "중아, 이 빛이 어디로 갔을까?" 하고 다시 물었다고 합니다. 과연 그 빛은 어디로 갔을까요?

광학의 최종 목표는 '빛으로 동작하는 소자'를 만드는 것입니다. 지금은 모든 소자가 전기로 동작하지요. 인터넷을 가능하게 하는 광통신조차 전자 소자의 도움이 없으면 불가능합니다. 집에서 전기 콘센트에 플러그를 꽂으면, 기기가 동작을 시작합니다. 라디오, 텔레비전이 켜지고, 냉장고, 세탁기, 전자레인지 그리고 식기세척기가 돌아갑니다. 휴대전화도 전기로 충전합니다. 만약 빛을 주었을 때 동작하는 소자가 만들어진다면, 우리는 햇빛을 받으면서 또는 조명 등 아래에서 모든 생활기기를 사용할 수 있을지도 모릅니다.

에필로그

이과생들에게 영어로 '정의'가 무엇인지 물어보면 십중팔구 다음과 같이 대답합니다.

"Definition."

그러나 문과생들에게 물어보면 다른 대답이 나옵니다.

"Justice."

과학은 약속의 학문입이다. 그리고 우리는 그 약속을 정의라고 부릅니다. 물리학 역시 정의를 토대로 하여 만들어졌습니다. 그런데 왜 물리학은 어려울까요? 또는 어렵게 느껴질까요? 그건 바로 물리학이 사용하는 정의를 이해하지 못해서 일지도 모릅니다. 몇 개의 언어를 자유자재로 사용하는 천재적인 어린이도 간혹 있기는 하지만 대부분의 어린이들은 한국어 외에는 잘 하지 못하지요. 그래서 시험해 보았습니다. 아들이 유치원 다닐 때, 거기에서 일주일에 두어 번씩 영어 수업을 했었습니다. 삼 년 정도. 그래서 하루는 아들에게 이렇게 물어 보았지요.

"How old are you?"

"……."

최소한 손가락으로 7을 표시하기를 기대했던 내가 잘못일까요?

물리학에서 정한 정의에 대한 기본적인 이해만 한다고 해도, 누구나 충분히 물리학을 즐길 수 있을 것입니다. 어떤 것이 하나 있다고 해 볼까요? 그러면 우리는 이것에 대하여 무엇을 알고 싶을까요? 아마 크기를 알고 싶을 지도 모르겠습니다. 다른 사람에게 설명할 때를 가정해 본다면, 아마 이렇게 되겠지요.

"친구야, 내가 얼마 전에 엄청나게 큰 코끼리를 보았는데 말이야."

"그래. 그게 얼마나 컸어?"

"대략 10 정도 했어."

"뭐라고?"

이제 대화를 조금만 바꿔 봅시다.

"친구야, 내가 얼마 전에 엄청나게 큰 코끼리를 보았는데 말이야."

"그래. 그게 얼마나 컸어?"

"대략 길이가 10 미터 정도 했어."

"뭐라고?"

처음 대화의 '뭐라고?'는 '너는 대체 무슨 소리를 하는 거야?' 이런 의미일 것이고, 두 번째의 '뭐라고?'는 '그렇게 큰 코끼리가 어디 있냐?'라는 이런 의미일 것입니다. 어쨌든 두 번째 대화에서는 둘 사이에서 의미가 통했음이 분명합니다. 그럼 왜 의미가 통했을까요? 구태여 설명할 필요도 없지만, 미터라는 단 한 마디 때문입니다.

물리학에는 아주 많은, 세어보지는 않았지만 수십 개의 단위가 있답니다. 그러면 단위란 무엇일까요? 집에서 동네 마트까지 가는데 몇 걸음이나 되는지 알고 싶어진 나는 집 대문에서부터 마트까지 한 걸음 한 걸음 세면서 걸어가 보았습니다. 내가 자주 가는 마트까지의 거리는 구태여 여기서 밝힐 필요는 없지만, 두 지점 사이의 거리가 내 한 걸음의 몇 배가 되는지 알아내었습니다. 바로 여기에서 나의 한 걸음이 단위가 되는 것입니다.

단위의 정의는 인터넷에서 찾아보면 되지만, 중요한 점은 단위의 뜻에 대하여 마음으로 느끼고, '아, 그렇구나.' 하면서 이해를 해야 하는 것이 중요합니다. 우리가 어떤 양에 대하여 알고 싶으면, 그것을 숫자로 측정한 다음, 그 숫자의 바로 뒤에 단위를 붙여 줍니다. 그럼으로써 그 숫자는 의미를 가지게 되겠지요. 그런데 수십 개의 단위를 일일이 하나씩 만들기가 너무나 번거롭지 않을까요? 그래서 가장 기본이 되는, 마치 한글의 자음과 모음처럼, 단위 몇 개를 정했습니다. 과학자들이 모여서 약속을 한 것이지요. 우리는 이것들을 기본 단위(Basic Units)라고 부릅니다.

1. 길이의 단위는 미터, 기호는 m(m=meter).
2. 질량의 단위는 킬로그램, 기호는 kg(kg= kilogram).
3. 시간의 단위는 초, 기호는 s(s=second).
4. 전류의 단위는 암페어, 기호는 A(A=Ampere).
5. 온도의 단위는 켈빈, 기호는 K(K=Kelvin).
6. 물질량의 단위는 몰, 기호는 mol(mol=mole).
7. 광도의 단위는 칸델라, 기호는 cd(candela).

그리고 다른 물리량들은 기본 단위들을 그대로 결합하여 붙이기도 하고, 기본 단위를 결합하여 붙이는 것이 번거롭다고 느끼면 새로운 기호를 만들어서 붙이기도 합니다. 예를 들어 볼까요? 힘의 단위는 [킬로그램 곱하기 미터 나누기 초의 제곱]인데, 이렇게 길게 쓰지 않고 간단히 N(뉴턴)이라고 씁니다. 그렇다면 기본 단위들은 어떻게 결합할까요? 곱하기와 나누기 딱 두 개를 사용하여 결합합니다. 간단하지요? 곱하거나 나누거나.

그리고 새로운 기호를 할당받은 단위들 역시 그것들의 본질을 들여다보면, 위 일곱 개 기본 단위들의 결합으로 표시할 수 있습니다. 이것들의 결합 역시 곱하기와 나누기뿐입니다. 이제 우리는 물리학에서 측정이라는 것과 측정된 양을 표기하는 방법에 대하여 알게 되었습니다. 그런데 측정이 뭐냐고요? 측정은 재는 것입니다!